under
中國美術全集

玉器 二

全國百佳圖書出版單位
時代出版傳媒股份有限公司
黃山書社

目　　錄

春秋戰國（公元前七七〇年至公元前二二一年）

頁碼	名稱	時代	發現地	收藏地
241	戈	春秋	陝西鳳翔縣南指揮村秦景公墓	陝西歷史博物館
242	回紋璋形器	春秋	陝西鳳翔縣南指揮村秦景公墓	陝西歷史博物館
242	穀紋琮	春秋	山西太原市金勝村趙卿墓	山西省考古研究所
243	回紋璧	春秋	陝西鳳翔縣南指揮村秦景公墓	陝西歷史博物館
243	蟠虺紋璧	春秋	江蘇蘇州市吳中區嚴山王陵	江蘇省蘇州市吳中區文物管理委員會
244	雙龍形佩	春秋	河南輝縣市琉璃閣甲墓	臺灣省"臺北國立歷史博物館"
244	穀紋龍形佩	春秋	山西太原市金勝村晉卿趙氏墓	山西省考古研究所
245	雲紋虎形佩	春秋	河南淅川縣下寺	河南博物院
245	雲紋虎形佩	春秋	河南光山縣寶相寺黃君孟墓	河南博物院
246	雲紋虎形佩	春秋	河南淅川縣下寺	河南博物院
246	蟠虺紋虎形佩	春秋	陝西寶雞市益門村2號墓	陝西省寶雞市考古工作隊
247	蟠虺紋虎形佩	春秋	江蘇蘇州市吳中區嚴山王陵	江蘇省蘇州市吳中區文物管理委員會
248	雲紋虎形佩	春秋	湖北當陽市前春村3號墓	湖北省宜昌博物館
248	雲紋牛形佩	春秋	陝西寶雞市益門村2號墓	陝西省寶雞市考古工作隊
249	魚形佩	春秋	河南光山縣寶相寺黃君孟墓	河南博物院
249	蟠虺紋佩	春秋	陝西鳳翔縣南指揮村秦景公墓	陝西省秦始皇兵馬俑博物館
250	斧形佩	春秋	陝西寶雞市益門村2號墓	陝西省寶雞市考古工作隊
251	燈籠形佩	春秋	陝西鳳翔縣南指揮村秦景公墓	陝西省考古研究院
251	亞字形佩	春秋	陝西鳳翔縣南指揮村秦景公墓	陝西省考古研究院
252	角形佩	春秋	陝西鳳翔縣南指揮村秦景公墓	陝西省秦始皇兵馬俑博物館
252	鳥獸紋璜	春秋	河南光山縣寶相寺黃君孟墓	河南博物院
253	龍紋璜	春秋	山西聞喜縣上郭墓地	山西博物院
253	蟠虺紋璜	春秋	陝西寶雞市益門村2號墓	陝西省寶雞市博物館
254	蟠虺紋璜	春秋	江蘇蘇州市吳中區嚴山王陵	江蘇省蘇州市吳中區文物管理委員會
254	蟠虺紋璜	春秋	江蘇蘇州市吳中區嚴山王陵	江蘇省蘇州市吳中區文物管理委員會
255	蟠虺紋玦	春秋	河南淅川縣下寺	河南博物院
255	龍紋玦	春秋	山西聞喜縣上郭墓地	山西博物院
256	柱形玦	春秋	河南輝縣市琉璃閣甲墓	臺灣省"臺北國立歷史博物館"

頁碼	名稱	時代	發現地	收藏地
256	鳥獸紋環	春秋	河南光山縣寶相寺黃君孟墓	河南博物院
257	穀紋環	春秋	河南淅川縣徐家嶺10號墓	河南博物院
257	勾雲紋環	春秋	河南淅川縣徐家嶺10號墓	河南省文物研究所
258	穀紋珩	春秋	山西太原市金勝村趙卿墓	山西省考古研究所
258	异形珩	春秋	河南輝縣市琉璃閣甲墓	臺灣省"臺北國立歷史博物館"
259	雲紋龍形觿	春秋	河南輝縣市琉璃閣甲墓	臺灣省"臺北國立歷史博物館"
259	虺紋龍形觿	春秋	河南輝縣市琉璃閣甲墓	臺灣省"臺北國立歷史博物館"
260	夔龍雲紋觿	春秋	陝西西安市長安區茅坡村	陝西省西安市文物保護考古所
260	鴨首帶鈎	春秋	陝西寶雞市益門村2號墓	陝西省寶雞市博物館
261	蛇首帶鈎	春秋	陝西寶雞市益門村2號墓	陝西省寶雞市考古工作隊
261	簪	春秋	河南淅川縣下寺1號墓	河南博物院
262	鳥獸紋虎形飾	春秋	河南光山縣寶相寺黃君孟墓	河南省信陽市文物管理委員會
262	龍紋飾	春秋	河南輝縣市琉璃閣甲墓	臺灣省"臺北國立歷史博物館"
263	獸面鳥紋飾	春秋	河南光山縣寶相寺黃君孟墓	河南博物院
263	獸面雲紋飾	春秋	河南淅川縣下寺1號墓	河南博物院
264	獸面紋飾	春秋	山東蓬萊市村里集墓葬	山東省烟臺市博物館
264	人首蛇身飾	春秋	河南光山縣寶相寺黃君孟墓	河南博物院
265	蟠虺紋長方形飾	春秋	江蘇連雲港市東周墓	南京博物院
265	蟠虺紋長方形飾	春秋	江蘇蘇州市吳中區嚴山王陵	江蘇省蘇州市吳中區文物管理委員會
266	鸚鵡首拱形飾	春秋	江蘇蘇州市吳中區嚴山王陵	江蘇省蘇州市吳中區文物管理委員會
266	活環拱形飾	春秋	江蘇蘇州市吳中區嚴山王陵	江蘇省蘇州市吳中區文物管理委員會
267	穀紋盾形飾	春秋	山西太原市金勝村趙卿墓	山西省考古研究所
267	雲紋管形飾	春秋	山西太原市金勝村趙卿墓	山西省考古研究所
268	穀紋管形飾	春秋	山西太原市金勝村趙卿墓	山西省考古研究所
268	夔龍紋管形飾	春秋	江蘇蘇州市吳中區嚴山王陵	江蘇省蘇州市吳中區文物管理委員會
269	覆面	春秋	江蘇蘇州市滸關真山墓葬	江蘇省博物館
269	人首飾	春秋	河南光山縣寶相寺黃君孟墓	河南博物院
270	人形飾	春秋	河南固始縣侯古堆1號墓	河南省文物考古研究所
270	獸面雲紋匕首柄	春秋	河南淅川縣下寺	河南博物院
271	穀紋劍珌	春秋	山西太原市金勝村趙卿墓	山西省考古研究所
271	動物紋劍璏	春秋	山西太原市金勝村趙卿墓	山西省考古研究所
272	雲紋鎮	春秋	浙江紹興市印山越王允常陵	浙江省紹興市文物保護所
272	龍首形挂鈎	春秋	浙江紹興市印山越王允常陵	浙江省紹興博物館
273	夔龍紋梳	春秋	河南淅川縣下寺1號墓	河南博物院

頁碼	名稱	時代	發現地	收藏地
273	畢公左徒戈	戰國	河南洛陽市唐宮路小學	河南省洛陽市文物工作隊
274	獸面紋琮	戰國	湖北隨州市擂鼓墩曾侯乙墓	湖北省博物館
274	勾雲紋琮	戰國	河南平頂山市應國墓地	河南省平頂山市文物管理委員會
275	銀座琮	戰國	江蘇漣水縣三里墩	南京博物院
276	五龍璧	戰國	河南孟津縣	河南省洛陽市文物工作隊
277	雙龍穀紋璧	戰國	河南洛陽市西工區131號戰國墓	河南省洛陽博物館
277	勾云紋璧	戰國	河北平山縣七汲村中山國1號墓	河北省文物研究所
278	雙鳳穀紋璧	戰國	河北平山縣七汲村中山國1號墓	河北省文物研究所
278	雙龍穀紋璧	戰國	河北平山縣七汲村中山國1號墓	河北省文物研究所
279	夔龍穀紋璧	戰國	山東淄博市臨淄區商王村2號墓	山東省淄博市博物館
279	夔龍穀紋璧	戰國	山東曲阜市魯國故城乙組52號墓	山東省曲阜孔府文物檔案館
280	夔龍穀紋璧	戰國	山東曲阜市魯國故城乙組52號墓	山東省曲阜孔府文物檔案館
281	雙鳳穀紋璧	戰國	山東曲阜市魯國故城乙組58號墓	山東省曲阜孔府文物檔案館
281	雲紋璧	戰國	湖北隨州市擂鼓墩曾侯乙墓	湖北省博物館
282	穀紋璧	戰國	浙江安吉縣遞鋪鎮壠壩村	浙江省安吉縣博物館
282	夔龍穀紋合璧	戰國		故宮博物院
283	組佩	戰國	山東曲阜市魯國故城乙組58號墓	山東省曲阜市孔府文物檔案館
284	組佩	戰國	湖北隨州市擂鼓墩曾侯乙墓	湖北省博物館
285	穀紋雙龍佩	戰國	河南洛陽市	河南省洛陽博物館
285	穀紋龍形佩	戰國	河南淮陽縣平糧臺42號墓	河南省文物考古研究所
286	雙龍佩	戰國	河南信陽市長臺關1號墓	中國國家博物館
286	穀紋雙龍佩	戰國	河南淮陽縣平糧臺17號墓	河南省文物考古研究所
287	絞絲紋龍形佩	戰國	河南洛陽市唐宮路小學	河南省洛陽市文物工作隊
287	雲紋龍形佩	戰國	河南淮陽縣平糧臺16號墓	河南省文物考古研究所
288	雲紋夔龍佩	戰國	河南洛陽市西二區7602號墓	河南省洛陽市文物工作隊
288	夔龍佩	戰國	河南洛陽市西二區7602號墓	河南省洛陽市文物工作隊
289	鳳首龍身佩	戰國	河南淮陽縣平糧臺17號墓	河南省文物考古研究所
289	龍鳳佩	戰國	河南葉縣	河南省文物考古研究所
290	穀紋龍形佩	戰國	山西侯馬市西高村戰國祭祀遺址	山西省考古研究所
290	穀紋龍形佩	戰國	山西侯馬市西高村戰國祭祀遺址	山西省考古研究所侯馬工作站
291	穀紋龍形佩	戰國	山西侯馬市西高村戰國祭祀遺址	山西省考古研究所
291	龍形佩	戰國	山西侯馬市西高村戰國祭祀遺址	山西省考古研究所
292	雲紋鳳龍形佩	戰國	山西侯馬市西高村戰國祭祀遺址	山西省考古研究所
293	雲紋龍形佩	戰國	山西長治市分水嶺53號墓	山西博物院

頁碼	名稱	時代	發現地	收藏地
293	雲紋龍形佩	戰國	山西長子縣牛家坡墓地7號墓	山西博物院
294	穀紋龍鳳形佩	戰國	山西侯馬市虒祁墓地2129號墓	山西省考古研究所
294	雲紋龍形佩	戰國	河北平山縣七汲村中山國1號墓	河北省文物研究所
295	穀紋龍形佩	戰國	河北平山縣七汲村中山國1號墓陪葬墓	河北省文物研究所
295	穀紋龍形佩	戰國	河北平山縣三汲鄉中山王墓	河北省文物研究所
296	穀紋三龍環形佩	戰國	河北平山縣七汲村中山國1號墓	河北省文物研究所
297	穀紋龍形佩	戰國	河北平山縣三汲鄉中山王墓	河北省文物研究所
297	穀紋雙龍雙鳳佩	戰國	山東淄博市臨淄區商王村1號墓	山東淄博市博物館
298	穀紋龍形佩	戰國	山東曲阜市魯國故城乙組58號墓	山東省曲阜市孔府文物檔案館
298	穀紋龍形佩	戰國	山東曲阜市魯國故城乙組52號墓	山東省曲阜市孔府文物檔案館
299	雲紋雙龍佩	戰國	山東淄博市臨淄區商王村1號墓	山東省淄博市博物館
299	穀紋夔龍佩	戰國	陝西西安市長安區灃西配件廠	陝西省西安市文物保護考古所
300	龍鳳紋佩	戰國	陝西咸陽市正陽鄉秦都咸陽城遺址	陝西省咸陽博物館
300	雲紋龍形佩	戰國	湖北隨州市擂鼓墩曾侯乙墓	湖北省博物館
301	雲紋龍形佩	戰國	湖北隨州市擂鼓墩曾侯乙墓	湖北省博物館
302	雲紋雙龍佩	戰國	湖北隨州市擂鼓墩曾侯乙墓	湖北省博物館
302	龍形佩	戰國	湖北江陵縣望山2號墓	湖北省博物館
303	穀紋龍形佩	戰國	湖南澧縣新洲1號墓	湖南省文物考古研究所
303	穀紋對龍形佩	戰國	湖北隨州市擂鼓墩曾侯乙墓	湖北省博物館
304	四節龍鳳佩	戰國	湖北隨州市擂鼓墩曾侯乙墓	湖北省博物館
305	雲紋龍形佩	戰國	浙江安吉縣龍山1號墓	浙江省安吉縣博物館
305	雲紋龍形佩	戰國	浙江安吉縣遞鋪鎮壠壩村	浙江省安吉縣博物館
306	穀紋龍形佩	戰國	安徽長豐縣楊公2號墓	故宮博物院
306	穀紋龍鳳形佩	戰國	安徽長豐縣楊公8號墓	安徽省文物考古研究所
307	穀紋龍形佩	戰國	安徽天長市三角圩漢墓群	安徽省天長市博物館
307	雲紋龍鳳獸形佩	戰國	安徽長豐縣楊公2號墓	故宮博物院
308	龍鳳形佩	戰國	安徽合肥市省消防器材廠工地	安徽省合肥市文物管理處
308	龍紋盾形佩	戰國	江蘇無錫市鴻山鎮越國貴族墓	南京博物院
309	雙龍佩	戰國		故宮博物院
309	龍形佩	戰國		故宮博物院
310	龍鳳形佩	戰國		故宮博物院
310	螭銜人形佩	戰國		中國國家博物館
311	雙鳳形佩	戰國	河北易縣燕下都	河北省文物研究所
311	鳳形佩	戰國	江蘇無錫市鴻山鎮越國貴族墓	南京博物院

頁碼	名稱	時代	發現地	收藏地
312	鳳鳥形佩	戰國		故宮博物院
312	鳥獸紋虎形佩	戰國	湖北隨州市擂鼓墩曾侯乙墓	湖北省博物館
313	雲紋犀牛形佩	戰國	河南孟津縣	河南省洛陽市文物工作隊
313	鱗紋龍形佩	戰國	河南淮陽縣平糧臺49號墓	河南省文物考古研究所
314	鸚鵡形佩	戰國	河南輝縣市固圍村2號墓	中國國家博物館
314	鳥形佩	戰國	湖北隨州市擂鼓墩曾侯乙墓	湖北省博物館
315	四鳥佩	戰國		故宮博物院
315	叠人踏豕佩	戰國	湖北棗陽市九連墩2號墓	湖北省博物館
316	雲紋瓶形佩	戰國	安徽長豐縣楊公2號墓	故宮博物院
316	鳳鳥雲紋管飾	戰國	安徽長豐縣楊公2號墓	安徽省文物考古研究所
317	龍形璜	戰國	河南輝縣市固圍村1號墓	中國國家博物館
317	網紋雙龍首璜	戰國	河北平山縣二汲鄉中山王墓	河北省文物研究所
318	捲雲紋璜	戰國	河北平山縣三汲鄉中山王墓	河北省文物研究所
318	雲紋雙犀首璜	戰國	山東曲阜市魯國故城乙組52號墓	山東省曲阜市孔府文物檔案館
319	雲紋雙龍首璜	戰國	山東淄博市臨淄區商王村1號墓	山東省淄博市博物館
319	雲紋雙連璜	戰國	湖北隨州市擂鼓墩曾侯乙墓	湖北省博物館
320	雲紋璜	戰國	湖北隨州市擂鼓墩曾侯乙墓	湖北省博物館
320	雙龍紋璜	戰國	湖南臨澧縣九里茶場1號墓	湖南省博物館
321	雲紋雙龍首璜	戰國	湖南澧縣新洲1號墓	湖南省文物考古研究所
321	龍鳳璜	戰國	湖北隨州市擂鼓墩曾侯乙墓	湖北省博物館
322	雲紋雙龍紋璜	戰國	山東曲阜市魯國故城乙組52號墓	山東省曲阜市文物管理委員會
322	穀紋雙龍首璜	戰國	安徽長豐縣楊公2號墓	安徽省文物考古研究所
323	雙龍首珩	戰國	湖北隨州市擂鼓墩曾侯乙墓	湖北省博物館
323	雲紋珩	戰國	安徽天長市三角圩漢墓群	安徽省天長市博物館
324	雲雷紋龍形觿	戰國	浙江安吉縣遞鋪鎮壠壩村	浙江省安吉縣博物館
324	絞絲紋龍形觿	戰國	安徽長豐縣楊公2號墓	安徽省文物考古研究所
325	雲紋玦	戰國	湖北隨州市擂鼓墩曾侯乙墓	湖北省博物館
325	雲紋環	戰國	河南洛陽市唐宮路小學戰國墓	河南省洛陽博物館
326	蟠虺紋環	戰國	山西長治市分水嶺53號墓	山西博物院
326	龍鳳紋環	戰國	山東淄博市臨淄區商王村1號墓	山東省淄博市博物館
327	雙龍雙虎紋環	戰國	山東淄博市臨淄區商王村1號墓	山東省淄博市博物館
328	瑪瑙環	戰國	浙江杭州市半山區石塘鎮小溪塢1號墓	浙江省杭州歷史博物館
328	雲紋瑗	戰國	浙江杭州市半山區石塘鎮	浙江省杭州歷史博物館
329	獸首帶鈎	戰國	山東曲阜市魯國故城乙組58號墓	山東省曲阜市孔府文物檔案館

頁碼	名稱	時代	發現地	收藏地
330	包金嵌玉銀帶鈎	戰國	河南輝縣市固圍村1號墓	中國國家博物館
330	鵝首帶鈎	戰國	湖北隨州市擂鼓墩曾侯乙墓	湖北省博物館
331	覆面	戰國	河南洛陽市	河南省洛陽博物館
332	覆面	戰國	河南洛陽市中州路1316號墓	中國國家博物館
333	覆面	戰國	湖北荊州市秦家山2號墓	湖北省荊州博物館
334	人形飾	戰國	河南洛陽市銅加工廠	河南省洛陽博物館
335	人形飾	戰國	河南洛陽市針織廠東周墓	河南省洛陽博物館
335	人形飾	戰國	山西侯馬市西高村戰國祭祀遺址	山西省考古研究所
336	人形飾	戰國	河北平山縣三汲鄉中山國3號墓	河北省文物研究所
337	人形飾	戰國	河北平山縣三汲鄉中山國3號墓	河北省文物研究所
338	童子騎獸	戰國	河南洛陽市小屯村	中國國家博物館
338	虎形飾	戰國	山西長治市分水嶺84號墓	山西博物院
339	馬	戰國	山東曲阜市魯國故城	山東省曲阜市孔府文物檔案館
339	鹿	戰國	湖北江陵縣雨臺山	湖北省文物考古研究所
340	龍首形飾	戰國	山西長治市分水嶺126號墓	山西博物院
340	蟠螭紋版	戰國	河南洛陽市唐宮西路	河南省洛陽市文物工作隊
341	夔龍獸面紋版	戰國	河北平山縣七汲村中山國3號墓	河北省文物研究所
342	雙夔雙螭紋版	戰國	河北平山縣七汲村中山國3號墓	河北省文物研究所
342	雙龍紋版	戰國	河北平山縣三汲鄉中山王墓	河北省文物研究所
343	蟠螭獸面紋版	戰國	河南洛陽市唐宮西路	河南省洛陽市文物工作隊
343	獸面紋鑿形飾	戰國	陝西西安市雁塔區沙坡漢墓	陝西省西安市文物保護考古所
344	工字形管銜環飾	戰國	陝西西安市長安區韋曲戰國墓	陝西省西安市文物保護考古所
344	公賜鼎	戰國	河南洛陽市針織廠東周墓	河南省洛陽博物館
345	劍	戰國	湖北隨州市擂鼓墩曾侯乙墓	湖北省博物館
345	獸面紋劍珌	戰國	山東淄博市臨淄區商王村2號墓	山東省淄博市博物館
346	劍鞘	戰國	浙江杭州市半山區石塘鎮第13號墩2號墓	浙江省杭州歷史博物館
346	"越王"劍格	戰國	浙江杭州市半山區石塘鎮第24號墩1號墓	浙江省杭州歷史博物館
347	雙鳳紋梳	戰國	河北平山縣三汲鄉中山王墓	河北省文物研究所
348	蟠螭紋梳	戰國	河北平山縣三汲鄉中山王墓	河北省文物研究所
348	雲紋梳	戰國	湖北隨州市擂鼓墩曾侯乙墓	湖北省博物館
349	水晶杯	戰國	浙江杭州市半山區石塘鎮戰國墓	浙江省杭州歷史博物館
350	穀紋扉牙環	戰國	浙江長興縣鼻子山戰國墓	浙江省長興縣博物館

秦至東漢（公元前二二一年至公元二二〇年）

頁碼	名稱	時代	發現地	收藏地
351	男女人形飾	秦	陝西西安市未央區大明宮鄉聯志村	陝西省西安市文物保護考古所
351	雲紋鐵芯帶鈎	秦	河南泌陽縣官莊村	河南博物院
352	高足杯	秦	陝西西安市長安區劉村秦阿房宮遺址	陝西省西安市文物保護考古所
353	雲紋劍珌	秦	湖北荊州市郢城鎮黃山村	湖北省荊州博物館
353	雲紋劍璲	秦	湖南長沙市左家塘1號墓	湖南省博物館
354	雲紋燈	秦		故宮博物院
354	雲紋戈	西漢	河南永城市芒山鎮僖山漢墓	河南博物院
355	螭虎紋戈	西漢	江蘇徐州市獅子山楚王墓	江蘇省徐州兵馬俑博物館
355	穀紋璧	西漢	江蘇徐州市獅子山楚王墓	江蘇省徐州博物館
356	夔龍穀紋璧	西漢	江蘇徐州市獅子山楚王墓	江蘇省徐州博物館
357	夔龍穀紋璧	西漢	河北滿城縣陵山2號墓	河北省博物館
357	夔龍雲紋璧	西漢	陝西西安市棗園南嶺漢墓	陝西省考古研究院
358	夔龍穀紋璧	西漢	廣東廣州市象崗山南越王墓	廣東省廣州南越王墓博物館
359	夔龍穀紋璧	西漢	廣東廣州市象崗山南越王墓	廣東省廣州南越王墓博物館
359	夔龍穀紋璧	西漢	湖北老河口市五座墳3號墓	湖北省博物館
360	夔鳳紋璧	西漢	陝西西安市未央區三橋鎮漢墓	陝西省西安市文物保護考古所
360	龍鳳穀紋璧	西漢	江蘇揚州市雙橋鄉宰莊漢墓	江蘇省揚州市博物館
361	雙龍鈕穀紋璧	西漢	河北滿城縣中山靖王劉勝墓	河北省博物館
362	團龍穀紋璧	西漢	廣東廣州市象崗山南越王墓	廣東省廣州南越王墓博物館
362	龍鳳紋璧	西漢	廣東廣州市象崗山南越王墓	廣東省博物館
363	雲浪紋璧	西漢	陝西西安市西漢竇氏墓	陝西省西安市文物保護考古所
363	三龍首穀紋套環璧	西漢	廣東廣州市象崗山南越王墓	廣東省廣州南越王墓博物館
364	三鳳穀紋璧	西漢	廣東廣州市象崗山南越王墓	廣東省廣州南越王墓博物館
364	龍鳳穀紋璧	西漢	廣東廣州市象崗山南越王墓	廣東省廣州南越王墓博物館
365	雙鳳穀紋套環璧	西漢	河北定州市	河北省文物研究所
365	穀紋雙連璧	西漢	廣東廣州市象崗山南越王墓	廣東省廣州南越王墓博物館
366	組佩	西漢	廣東廣州市象崗山南越王墓	廣東省廣州南越王墓博物館

頁碼	名稱	時代	發現地	收藏地
367	組佩	西漢	廣東廣州市象崗山南越王墓	廣東省廣州南越王墓博物館
367	組佩	西漢	廣東廣州市象崗山南越王墓	廣東省廣州南越王墓博物館
368	雙龍佩	西漢	河南永城市芒山鎮僖山漢墓	河南博物院
368	穀紋雙龍佩	西漢	廣東廣州市象崗山南越王墓	廣東省廣州南越王墓博物館
369	穀紋雙龍佩	西漢	江蘇徐州市獅子山楚王墓	江蘇省徐州博物館
370	雲紋雙龍佩	西漢	安徽天長市三角圩漢墓群	安徽省天長市博物館
370	鱗紋龍形佩	西漢	安徽巢湖市放王崗	安徽省巢湖市博物館
371	穀紋龍形佩	西漢	江蘇徐州市獅子山楚王墓	江蘇省徐州博物館
372	龍形佩	西漢	江蘇盱眙縣東陽4號墓	南京博物院
372	雙龍紋佩	西漢	江蘇徐州市獅子山楚王陵	江蘇省徐州博物館
373	鳳形佩	西漢	河南永城市芒山鎮僖山漢墓	河南博物院
373	龍鳳佩	西漢	安徽巢湖市北山頭漢墓	安徽省巢湖市博物館
374	鳳鳥佩	西漢	陝西西安市西漢竇氏墓	陝西省西安市文物保護考古所
374	鳳蘭紋佩	西漢	安徽巢湖市北山頭漢墓	安徽省巢湖市博物館
375	鳳紋佩	西漢	廣東廣州市象崗山南越王墓	廣東省廣州南越王墓博物館
376	鳳鳥形飾	西漢	河北滿城縣中山靖王劉勝墓	河北省博物館
376	飾鳳花蕾形佩	西漢	廣東廣州市象崗山南越王墓	廣東省廣州南越王墓博物館
377	人形佩	西漢	安徽渦陽縣石弓山崖墓	安徽省阜陽市博物館
378	螭虎環形佩	西漢	北京豐臺區大葆臺2號漢墓	北京大葆臺西漢墓博物館
378	螭虎紋佩	西漢	江蘇徐州市北洞山楚王墓	江蘇省徐州博物館
379	虎形佩	西漢	廣東廣州市西村鳳凰崗	廣東省廣州市文物考古研究所
379	犀形佩	西漢	廣東廣州市象崗山南越王墓	廣東省廣州南越王墓博物館
380	雙虎紋韘形佩	西漢	安徽巢湖市放王崗	安徽省巢湖市博物館
380	龍鳳紋韘形佩	西漢	江蘇寶應縣西漢墓	江蘇省寶應縣博物館
381	雙猴紋韘形佩	西漢	陝西西安市西漢竇氏墓	陝西省西安市文物保護考古所
381	螭虎羽人鳳鳥紋韘形佩	西漢	陝西西安市新城區動物園	陝西省西安市文物保護考古所
382	雲紋韘形佩	西漢	陝西西安市未央區范南村陳請士墓	陝西省西安市文物保護考古所
383	雲紋韘形佩	西漢	河北滿城縣中山靖王劉勝墓	河北省博物館
383	雲紋韘形佩	西漢	河南永城市芒山鎮僖山漢墓	河南博物院
384	鳳紋韘形佩	西漢	河北定州市	河北省文物研究所
384	螭鳳紋韘形佩	西漢	江蘇揚州市邗江區甘泉鎮"妾莫書"西漢墓	江蘇省揚州博物館
385	龍鳳紋韘形佩	西漢	江蘇徐州市北洞山楚王墓	江蘇省徐州博物館
385	穀紋璇璣	西漢	安徽天長市三角圩漢墓群	安徽省天長市博物館
386	雙龍首璜	西漢	安徽巢湖市北山頭漢墓	安徽省巢湖市博物館

頁碼	名稱	時代	發現地	收藏地
386	雙龍首璜	西漢	江蘇銅山縣小龜山漢墓	南京博物院
387	蒲紋雙龍首璜	西漢	廣東廣州市象崗山南越王墓	廣東省廣州南越王墓博物館
387	龍鳳紋璜	西漢	江蘇徐州市獅子山楚王墓	江蘇省徐州博物館
388	雲紋環	西漢	安徽天長市三角圩漢墓群	安徽省天長市博物館
388	雲紋環	西漢	湖北荊州市郢城鎮瓦墳園	湖北省荊州博物館
389	神獸紋環	西漢	安徽巢湖市北山頭漢墓	安徽省巢湖市博物館
389	龍形環	西漢	河北定州市	河北省文物研究所
390	龍形環	西漢	安徽天長市三角圩漢墓群	安徽省天長市博物館
390	龍鳳紋環	西漢	江蘇徐州市石橋村漢楚王墓	江蘇省徐州兵馬俑博物館
391	龍紋環	西漢	廣東廣州市象崗山南越王墓	廣東省廣州南越王墓博物館
392	龍紋環	西漢	廣東廣州市象崗山南越王墓	廣東省廣州南越王墓博物館
392	龍鳳紋環	西漢	湖南長沙市咸家湖陡壁山1號墓	湖南省長沙市博物館
393	龍鳳紋套環	西漢	廣東廣州市象崗山南越王墓	廣東省廣州南越王墓博物館
394	穀紋環	西漢	江蘇銅山縣小龜山漢墓	南京博物院
394	獸紋環	西漢	陝西西安市西漢竇氏墓	陝西省西安市文物保護考古所
395	四神紋環	西漢		故宮博物院
395	絢紋套環	西漢	江蘇阜寧縣新溝合興村	南京博物院
396	鳳鳥形觿	西漢	安徽巢湖市北山頭漢墓	安徽省巢湖市博物館
396	鳥形觿	西漢	安徽巢湖市北山頭漢墓	安徽省巢湖市博物館
397	雲紋龍形觿	西漢	江蘇銅山縣小龜山漢墓	南京博物院
397	穀紋龍形觿	西漢	江蘇徐州市獅子山漢楚王墓	江蘇省徐州兵馬俑博物館
398	雲紋龍形觿	西漢	廣東廣州市象崗山南越王墓	廣東省廣州南越王墓博物館
398	龍形觿	西漢	廣東廣州市象崗山南越王墓	廣東省廣州南越王墓博物館
399	龍形觿	西漢	陝西西安市西漢竇氏墓	陝西省西安市文物保護考古所
399	鳳形觿	西漢	陝西西安市新城區動物園	陝西省西安市文物保護考古所
400	雙龍珩	西漢	陝西西安市西漢竇氏墓	陝西省西安市文物保護考古所
400	雙龍珩	西漢	陝西西安市西漢竇氏墓	陝西省西安市文物保護考古所
401	夔鳳珩	西漢	陝西西安市未央區三橋鎮漢墓	陝西省西安市文物保護考古所
401	龍形帶鉤	西漢	廣東廣州市象崗山南越王墓	廣東省廣州南越王墓博物館
402	玉龍金虎帶環鉤	西漢	廣東廣州市象崗山南越王墓	廣東省廣州南越王墓博物館
403	龍首帶鉤	西漢	河北邢臺市北陳村漢墓	河北省文物考古研究所
403	獸首帶鉤	西漢	安徽巢湖市放王崗	安徽省巢湖市博物館
404	雙獸首帶鉤	西漢	安徽巢湖市北山頭漢墓	安徽省巢湖市博物館
404	雙獸首帶鉤	西漢	安徽巢湖市北山頭漢墓	安徽省巢湖市博物館

頁碼	名稱	時代	發現地	收藏地
405	飾虎獸首帶鉤	西漢	河北滿城縣中山靖王劉勝墓	河北省博物館
405	龍虎戲環帶鉤	西漢	廣東廣州市象崗山南越王墓	廣東省廣州南越王墓博物館
406	龍虎合體帶鉤	西漢	廣東廣州市象崗山南越王墓	廣東省廣州南越王墓博物館
407	螭首帶鉤	西漢	江蘇銅山縣小龜山西漢墓	南京博物院
407	獸首帶鉤	西漢	江蘇銅山縣小龜山西漢墓	南京博物院
408	鴨首帶鉤	西漢	安徽天長市三角圩漢墓群	安徽省天長市博物館
408	龍首弦紋帶鉤	西漢	陝西西安市未央區六村堡西梁果村漢建章宮遺址	陝西省西安市文物保護考古所
409	嵌玉鎏金銅帶銙	西漢	江蘇揚州市邗江區甘泉鎮"妾莫書"西漢墓	江蘇省揚州博物館
409	獸首柄形器	西漢	安徽巢湖市北山頭漢墓	安徽省巢湖市博物館
410	舞人串飾	西漢	河北滿城縣中山靖王劉勝妻竇綰墓	河北省博物館
411	雲紋笄	西漢	河北滿城縣中山靖王劉勝墓	河北省博物館
411	寬邊鐲	西漢	雲南江川縣李家山47號墓	雲南省江川縣李家山考古工作站
412	金縷玉衣	西漢	河北滿城縣中山靖王劉勝妻竇綰墓	河北省博物館
414	絲縷玉衣	西漢	廣東廣州市象崗山南越王墓	廣東省廣州南越王墓博物館
416	覆面	西漢	山東濟南市長清區雙乳山濟北王墓	山東省濟南市長清區博物館
417	龍紋枕	西漢	江蘇徐州市獅子山楚王陵	江蘇省徐州博物館
417	鑲玉銅枕	西漢	河北滿城縣中山靖王劉勝墓	河北省博物館
418	獸紋枕	西漢	山東濟南市長清區雙乳山1號墓	山東省濟南市長清區博物館
418	豬形握	西漢	山東巨野縣紅土山漢墓	山東省巨野縣文物管理所
419	豬形握	西漢	山西太原市尖草坪漢墓	山西博物院
419	豬形握	西漢	山東濟南市長清區雙乳山1號墓	山東省濟南市長清區博物館
420	豬形握	西漢	陝西西安市雁塔區山門口村漢墓	陝西省西安市文物保護考古所
420	蟬	西漢	江蘇盱眙縣東陽4號墓	南京博物院
421	蟬	西漢	江蘇徐州市獅子山西漢楚王陵	江蘇省徐州兵馬俑博物館
421	蟬	西漢	江蘇揚州市邗江區甘泉鎮姚莊西漢墓	江蘇省揚州博物館
422	坐人飾	西漢	河北滿城縣中山靖王劉勝墓	河北省文物研究所
422	舞人飾	西漢	廣東廣州市象崗山南越王墓	廣東省廣州南越王墓博物館
423	舞人飾	西漢	河南永城市芒山鎮僖山漢墓	河南博物院
423	舞人飾	西漢	北京豐臺區大葆臺2號墓	北京大葆臺西漢墓博物館
424	舞人飾	西漢	廣東廣州市西村鳳凰崗	廣東省廣州市文物考古研究所
425	舞人飾	西漢	河南永城市芒山鎮僖山漢墓	河南博物院
426	舞人飾	西漢	安徽淮南市唐山鎮九里村1號墓	安徽省淮南市博物館
426	舞人飾	西漢	江西南昌市永和村畜牧場漢墓	江西省博物館

頁碼	名稱	時代	發現地	收藏地
427	舞人飾	西漢	陝西西安市三橋鎮漢墓	陝西省西安市文物商店
428	舞人飾	西漢	陝西西安市新城區動物園	陝西省西安市文物保護考古所
428	俑頭	西漢	陝西咸陽市周陵鄉新莊村漢元帝渭陵建築遺址	陝西省咸陽博物館
429	人形飾	西漢	陝西西安市西漢竇氏墓	陝西省西安市文物保護考古所
430	仙人騎馬	西漢	陝西咸陽市漢昭帝平陵遺址	陝西省咸陽博物館
431	穀紋龍形飾	西漢	江蘇徐州市獅子山楚王陵	江蘇省徐州博物館
432	辟邪	西漢	陝西咸陽市周陵鄉新莊村漢元帝渭陵建築遺址	陝西省咸陽博物館
432	熊	西漢	陝西咸陽市周陵鄉新莊村漢元帝渭陵建築遺址	陝西省咸陽博物館
433	熊	西漢	江蘇徐州市北洞山楚王墓	江蘇徐州博物館
434	鷹	西漢	陝西咸陽市周陵鄉新莊村漢元帝渭陵建築遺址	陝西省咸陽博物館
434	牛	西漢	陝西蒲城縣賈曲鄉漢代遺址	陝西歷史博物館
435	辟邪	西漢	陝西咸陽市周陵鄉新莊村漢元帝渭陵建築遺址	陝西省咸陽博物館
435	獬豸	西漢	陝西西安市未央區三橋鎮漢墓	陝西省西安市文物保護考古所
436	獸首	西漢	江蘇徐州市獅子山楚王墓	江蘇省徐州博物館
436	龍紋長方形飾	西漢	湖南長沙市咸家湖墓	湖南省長沙市博物館
437	梯形飾	西漢	江蘇徐州市獅子山楚王墓	江蘇省徐州博物館
438	包金鑲玉飾	西漢	河南三門峽市上村嶺	河南博物院
438	動物紋嵌飾	西漢	湖南長沙市象鼻嘴1號墓	湖南省博物館
439	銅框鑲玉卮	西漢	廣東廣州市象崗山南越王墓	廣東省廣州南越王墓博物館
440	穀紋卮	西漢	江蘇徐州市獅子山楚王陵	江蘇省徐州博物館
440	龍鳳穀紋卮	西漢	湖南安鄉縣黃山鎮劉弘墓	湖南省安鄉縣文物管理所
441	朱雀銜環踏虎卮	西漢	安徽巢湖市北山頭漢墓	安徽省巢湖市博物館
442	銅承盤高足杯	西漢	廣東廣州市象崗山南越王墓	廣東省廣州南越王墓博物館
443	銅框鑲玉蓋杯	西漢	廣東廣州市象崗山南越王墓	廣東省廣州南越王墓博物館
443	雲紋杯	西漢	江蘇徐州市獅子山楚王陵	南京博物院
444	穀紋杯	西漢	廣西貴縣羅泊灣1號墓	廣西壯族自治區博物館
444	錯金銅座杯	西漢	安徽渦陽縣稽山	安徽省阜陽博物館
445	耳杯	西漢	江蘇徐州市獅子山楚王陵	江蘇省徐州博物館
445	耳杯	西漢	吉林集安市糧庫高句麗墓葬	吉林省博物院
446	角形杯	西漢	廣東廣州市象崗山南越王墓	廣東省廣州南越王墓博物館
447	蒂葉紋盒	西漢	安徽巢湖市北山頭漢墓	安徽省巢湖市博物館
447	雙鳳紋盒	西漢	廣東廣州市象崗山南越王墓	廣東省廣州南越王墓博物館
448	銅座玉蓋香薰	西漢	安徽巢湖市北山頭漢墓	安徽省巢湖市博物館
449	"皇后之璽"印	西漢	陝西咸陽市韓家灣鄉狼家溝村	陝西歷史博物館

頁碼	名稱	時代	發現地	收藏地
449	雙虎紋劍首	西漢	廣東廣州市象崗山南越王墓	廣東省廣州南越王墓博物館
450	雙螭獸紋劍首	西漢	廣東廣州市象崗山南越王墓	廣東省廣州南越王墓博物館
450	雲紋劍首	西漢	廣東廣州市象崗山南越王墓	廣東省廣州市越王墓博物館
451	雙鳳獸首紋劍格	西漢	廣東廣州市象崗山南越王墓	廣東省廣州南越王墓博物館
451	蟠螭紋劍格	西漢	河南永城市芒山鎮僖山漢墓	河南博物院
452	獸首紋劍格	西漢	廣東廣州市象崗山南越王墓	廣東省廣州南越王墓博物館
452	螭龍紋劍璏	西漢	江蘇儀徵市龍河烟袋山	江蘇省儀徵市博物館
453	螭虎紋璏	西漢	山東巨野縣紅土山墓葬	山東巨野縣文物管理所
453	夔龙纹璏	西漢	安徽巢湖市放王崗漢墓	安徽省巢湖市博物館
454	虎紋劍珌	西漢	河北滿城縣中山靖王劉勝墓	河北省文物研究所
454	雲紋劍珌	西漢	河南永城市芒山鎮僖山漢墓	河南博物院
455	螭虎紋劍珌	西漢	湖南長沙市蓉園13號墓	湖南省博物館
455	螭虎紋劍珌	西漢	山東巨野縣紅土山墓葬	山東巨野縣文物管理所
456	螭虎紋劍珌	西漢	廣東廣州市象崗山南越王墓	廣東省廣州南越王墓博物館
456	熊虎紋劍珌	西漢	廣東廣州市象崗山南越王墓	廣東省廣州南越王墓博物館
457	熊虎獸面紋劍珌	西漢	河南永城市芒山鎮僖山漢墓	河南博物院
457	雲紋劍珌	西漢	廣東廣州市象崗山南越王墓	廣東省廣州南越王墓博物館
458	獸首雲紋劍珌	西漢	廣東廣州市象崗山南越王墓	廣東省廣州南越王墓博物館
458	螭虎鳳鳥紋劍珌	西漢	江蘇徐州市北洞山楚王墓	江蘇省徐州博物館
459	雙聯管	西漢	江蘇徐州市獅子山楚王陵	江蘇省徐州博物館
459	龍紋杖頭	西漢	廣西貴縣羅泊灣2號墓	廣西壯族自治區博物館
460	獸首銜璧飾	西漢	廣東廣州市象崗山南越王墓	廣東省廣州南越王墓博物館
461	四神紋鋪首	西漢	陝西興平市道常村茂陵	陝西省茂陵博物館
462	鑲玉銅鋪首	西漢	河北滿城縣中山靖王劉勝墓	河北省博物館
463	猪形握	新	江蘇揚州市邗江區楊壽鎮李崗村寶女墩新莽墓	江蘇省揚州市邗江區文物管理委員會
463	穀紋璧	東漢	河北定州市中山簡王劉焉墓	河北省文物研究所
464	雙螭穀紋璧	東漢	河北定州市中山簡王劉焉墓	河北省文物研究所
465	龍鈕穀紋璧	東漢	河北定州市北陵頭村	河北省定州市博物館
465	"宜子孫"龍鳳紋璧	東漢	江蘇揚州市邗江區甘泉鎮老虎墩漢墓	江蘇省揚州博物館
466	"宜子孫"穀紋璧	東漢	山東青州市馬家冢村	山東省青州博物館
467	鱗紋龍形佩	東漢	安徽潛山縣彭嶺漢墓群	安徽省文物考古研究所
467	雲紋龍形佩	東漢	河南洛陽市機車廠東漢墓	河南省洛陽博物館
468	四龍韘形佩	東漢	河南洛陽市機車廠東漢墓	河南省洛陽博物館

頁碼	名稱	時代	發現地	收藏地
468	雙獸雲紋佩	東漢	河北定州市中山穆王劉暢墓	河北省定州市博物館
469	螭虎紋韘形佩	東漢	陝西華陰縣油巷新村大司徒劉崎墓	陝西省華陰縣西岳廟文物管理處
470	盤龍心形佩	東漢	安徽懷遠縣唐集漢墓	安徽省懷遠縣文物管理所
470	蟠龍環	東漢	江蘇揚州市邗江區甘泉鎮老虎墩漢墓	江蘇省揚州博物館
471	伏人環	東漢	河南洛陽市澗西158廠漢墓	河南省洛陽博物館
471	連體雙龍珩	東漢	河北定州市	河北省定州市博物館
472	龍首帶鈎	東漢	河南洛陽市瀍河回族區漢墓	河南省洛陽市文物工作隊
472	龍虎合體帶鈎	東漢	河北定州市中山簡王劉焉墓	河北省博物館
473	雙龍紋帶扣	東漢	河南洛陽瀍河回族區漢墓	河南省洛陽博物館
473	豬形握	東漢	陝西西安市蓮湖區紅廟坡漢墓	陝西省西安市文物保護考古所
474	蟬	東漢	河南洛陽市	河南省洛陽博物館
474	蟬	東漢	河北定州市中山簡王劉焉墓	河北省博物館
474	雲紋枕	東漢	河北定州市中山簡王劉焉墓	河北省博物館
475	翁仲飾	東漢	江蘇揚州市邗江區甘泉鎮東漢2號墓	南京博物院
475	舞人飾	東漢	河北獻縣上寺漢墓	河北省文物研究所
476	辟邪	東漢	陝西寶雞市	陝西省寶雞市青銅器博物館
477	水晶獸	東漢	山東臨沂市盛莊鎮李白莊	山東省臨沂市博物館
477	鋪首形飾	東漢	安徽長豐縣楊公廟漢墓群	安徽省文物考古研究所
478	神獸紋尊	東漢	湖南安鄉縣黃山鎮劉弘墓	湖南省安鄉縣文物管理所
479	飛熊水滴	東漢	江蘇揚州市邗江區甘泉鎮老虎墩漢墓	江蘇省揚州博物館
479	獸首勺	東漢	河南洛陽市	河南省洛陽市文物工作隊
480	座屏	東漢	河北定州市	河北省定州市博物館
481	獸面雲紋劍格	東漢	安徽馬鞍山市寺門口漢墓	安徽省馬鞍山市博物館
481	獸面雲紋劍璏	東漢	安徽馬鞍山市寺門口漢墓	安徽省馬鞍山市博物館
482	螭虎紋劍璏	東漢	江西南昌縣	江西省博物館
482	琥珀獸	東漢	雲南昆明市羊甫頭墓地	雲南省文物考古研究所
483	蟬	漢	陝西西安市	陝西省西安市文物保護考古所
483	夔龍穀紋璧	漢	陝西西安市雁塔區沙坡漢墓	陝西省西安市文物保護考古所
484	螭龍紋劍首	漢	陝西西安市未央區紅旗機械廠	陝西省西安市文物保護考古所
484	子母螭龍紋劍璏	漢	陝西西安市草灘鄉張千戶村	陝西省西安市文物保護考古所
485	獸面雲紋劍璏	漢	陝西西安市霸橋區	陝西省西安市文物保護考古所
485	螭龍紋劍珌	漢	陝西西安市未央區紅旗機械廠	陝西省西安市文物保護考古所

三國至五代十國（公元二二〇年至公元九六〇年）

頁碼	名稱	時代	發現地	收藏地
486	杯	三國·魏	河南洛陽市	河南省洛陽博物館
486	螭虎紋韘形佩	魏晉		故宮博物院
487	羊	魏晉	甘肅武威市靈均臺遺址	甘肅省博物館
487	走獸游魚珩	魏晉	陝西乾縣永泰公主墓	陝西歷史博物館
488	瑪瑙璧	西晉	河南偃師市山化鄉玉瑤村	河南省洛陽博物館
488	獸面雲紋劍璏	西晉	江蘇南京市石閘湖墓	江蘇省南京市博物館
489	龍紋韘形佩	東晉	江蘇南京市仙鶴觀2號墓	江蘇省南京市博物館
489	雲紋韘形佩	東晉	江蘇南京市仙鶴觀2號墓	江蘇省南京市博物館
490	雲紋心形佩	東晉	江蘇南京市仙鶴觀6號墓	江蘇省南京市博物館
490	螭虎紋雞心佩	東晉	江蘇南京市中央門外郭家山墓葬	南京博物院
491	神獸紋佩	東晉	安徽當塗縣青山墓地23號墓	安徽省文物考古研究所
492	神獸紋璜	東晉	安徽當塗縣青山墓地23號墓	安徽省文物考古研究所
493	龍猴紋珩	東晉	江蘇南京市仙鶴觀6號墓	江蘇省南京市博物館
493	龍首帶鉤	東晉	江蘇南京市仙鶴觀6號墓	江蘇省南京市博物館
494	鳳形帶鉤	東晉	安徽當塗縣青山墓地23號墓	安徽省文物考古研究所
495	豬形握	東晉	江蘇南京市中央門外郭家山墓葬	南京博物院
495	豬形握	東晉	江蘇南京市仙鶴觀6號墓	江蘇省南京市博物館
496	豬形握	東晉	江蘇南京市西善橋墓	江蘇省南京市博物館
496	龍紋帶頭	東晉		上海博物館
497	琥珀獸	東晉	安徽當塗縣青山六朝墓	安徽省文物考古研究所
497	獸面雲紋劍首	東晉	江蘇南京市仙鶴觀6號墓	江蘇省南京市博物館
498	獸面雲紋劍格	東晉	江蘇南京市仙鶴觀6號墓	江蘇省南京市博物館
498	螭虎紋劍璏	東晉	江蘇南京市仙鶴觀6號墓	江蘇省南京市博物館
499	飾金瑪瑙球	東晉	安徽當塗縣青山六朝墓	安徽省文物考古研究所
499	龍鳳形佩	南朝	江蘇南京市鄧府山3號墓	南京博物院
500	環	南朝	江蘇南京市蔡家塘墓	江蘇省南京市博物館
500	獸首	南朝	江蘇南京市光華門外石門坎六朝墓	南京博物院
501	辟邪	北朝	河南洛陽市	河南省洛陽博物館
501	鳳紋蝙蝠形珩	北齊	山西壽陽縣賈家莊庫狄回洛墓	山西省考古研究所

頁碼	名稱	時代	發現地	收藏地
502	獅紋瑪瑙飾	北齊	山西壽陽縣賈家莊厙狄回洛墓	山西省考古研究所
502	蝙蝠形珩	北周	陝西西安市雁塔區小寨村	陝西西安市文物保護考古所
503	八環蹀躞帶	北周	陝西咸陽市底張灣北周若干雲墓	陝西省考古研究院

[玉 器]

春秋戰國（公元前七七〇年至公元前二二一年）

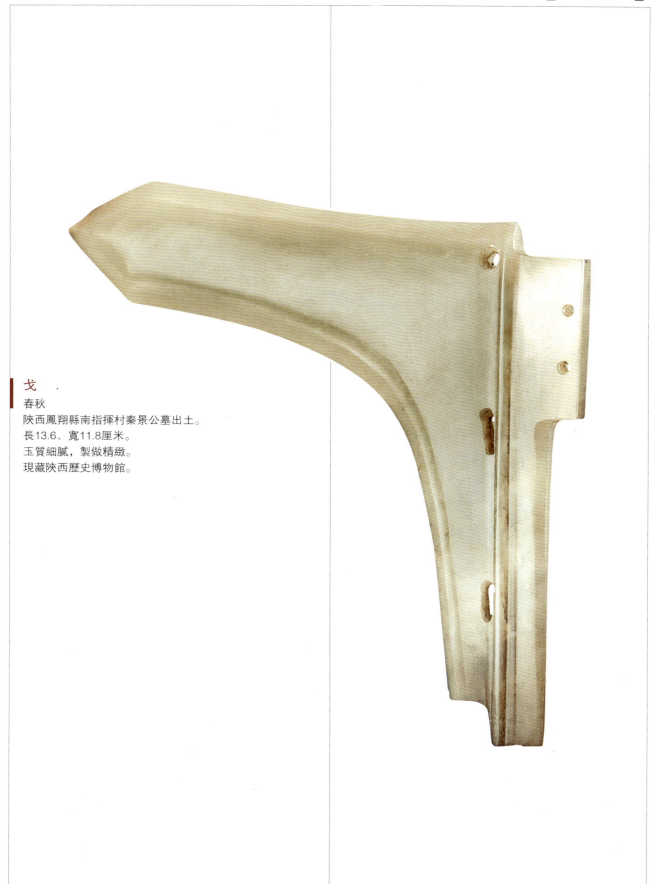

戈
春秋
陝西鳳翔縣南指揮村秦景公墓出土。
長13.6、寬11.8厘米。
玉質細膩，製做精緻。
現藏陝西歷史博物館。

[玉 器]

回紋璋形器
春秋
陝西鳳翔縣南指揮村秦景公墓出土。
長21、寬2.8厘米。
飾方回紋。
現藏陝西歷史博物館。

穀紋琮
春秋
山西太原市金勝村趙卿墓出土。
邊長4.3、孔徑3.4厘米。
玉質細膩，製作精緻。正方，四邊遍飾穀紋，中間圓孔粗而直。
現藏山西省考古研究所。

【玉器】

春秋戰國（公元前七七〇年至公元前二二一年）

回紋璧
春秋
陝西鳳翔縣南指揮村秦景公墓出土。
直徑16.8厘米。
扁平圓形，中有孔，璧面飾方回紋。
現藏陝西歷史博物館。

蟠虺紋璧
春秋
江蘇蘇州市吳中區嚴山王陵出土。
直徑6.6厘米。
有棕褐色斑。扁平圓形，中有孔。兩面
紋飾內外邊沿分別陰刻同心圓周綫，
內區璧面淺浮雕蟠虺紋。
現藏江蘇省蘇州市吳中區文物管理委員會。

[玉 器]

春秋戰國（公元前七七〇年至公元前二二一年）

雙龍形佩
春秋
河南輝縣市琉璃閣甲墓出土。
長7.6、孔徑2.6厘米。
玉環出廓式。雙環爲雙龍纏繞紋飾，以透雕技法表現龍身。龍圓目、捲鼻、吐舌。器面以陰刻細綫紋雕出輪廓綫。
現藏臺灣省"臺北國立歷史博物館"。

穀紋龍形佩
春秋
山西太原市金勝村晉卿趙氏墓出土。
長11.7厘米。
龍身呈"弓"形，滿飾穀紋。
現藏山西省考古研究所。

[玉 器]

春秋戰國（公元前七七〇年至公元前二二一年）

雲紋虎形佩
春秋
河南淅川縣下寺出土。
長6.4厘米。
虎呈臥姿。兩面紋飾相同。
現藏河南博物院。

雲紋虎形佩
春秋
河南光山縣寶相寺黃君孟墓出土。
長12.5、寬6.2厘米。
虎呈臥姿，曲肢捲尾。虎身飾勾雲紋。
現藏河南博物院。

245

[玉 器]

雲紋虎形佩
春秋
河南淅川縣下寺出土。
長14.6、寬4.4厘米。
體呈扁平狀，虎底首拱背，曲肢捲尾。
口與尾處各有一圓穿，可供穿繫佩帶。
現藏河南博物院。

蟠虺紋虎形佩
春秋
陝西寶雞市益門村2號墓出土。
長12.9、寬3.3厘米。
兩面均采用減地法雕琢出變形蟠虺紋。
現藏陝西省寶雞市考古工作隊。

[玉 器]

蟠虺紋虎形佩
春秋
江蘇蘇州市吳中區嚴山王陵出土。
長11.9、寬3.8厘米。
兩件大小、形制相同。正面作虎形，
四足屈蹲，捲尾高翹。
現藏江蘇省蘇州市吳中區文物管理委員會。

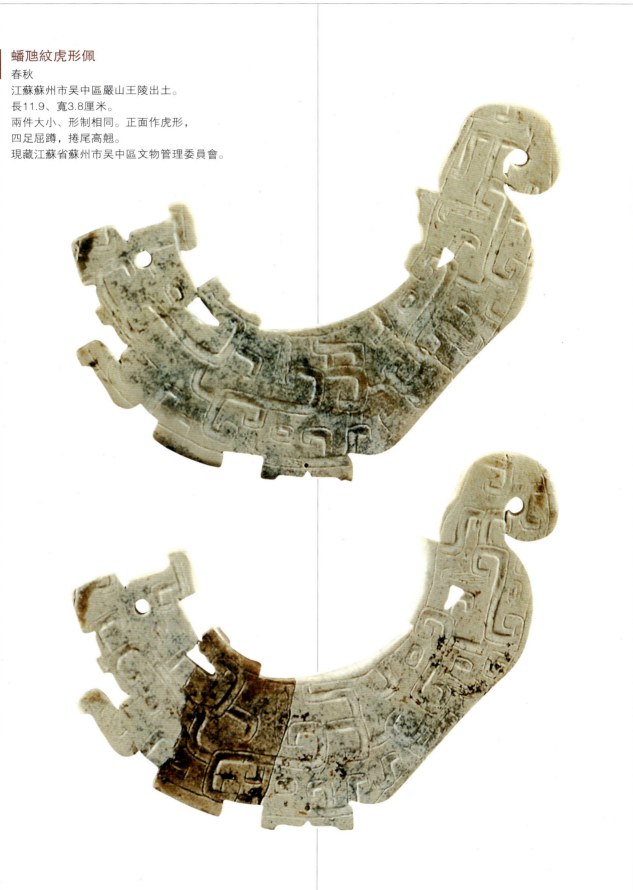

[玉 器]

春秋戰國（公元前七七〇年至公元前二二一年）

雲紋虎形佩
春秋
湖北當陽市前春村3號墓出土。
長3.8、寬2.3厘米。
虎形，體短粗，捲尾。前部有一孔表現虎口，橢圓形陰綫表現虎目。飾雙陰綫雲紋。
現藏湖北省宜昌博物館。

雲紋牛形佩
春秋
陝西寶鷄市益門村2號墓出土。
長2.5、寬1.5厘米。
長方形扁體，中部鼓起，周邊有齒棱，外輪廓似牛。兩面均浮雕蟠虺紋，陰綫刻捲雲紋。兩端對鑽一圓孔。
現藏陝西省寶鷄市考古工作隊。

[玉器]

春秋戰國（公元前七七〇年至公元前二二一年）

魚形佩
春秋
河南光山縣寶相寺黃君孟墓出土。
長5.9、寬3.1厘米。
魚身浮雕鱗紋、捲雲紋。用斜直綫刻劃出兩片鰭。
現藏河南博物院。

蟠虺紋佩
春秋
陝西鳳翔縣南指揮村秦景公墓出土。
長10、寬5.6厘米。
兩面均陰刻蟠虺紋，一面塗硃砂，底邊中部有一長方形隆起面。
現藏陝西省秦始皇兵馬俑博物館。

249

[玉 器]

斧形佩
春秋
陝西寶雞市益門村2號墓出土。
長6、刃寬2.2厘米。
兩面雕，均有邊框，一面用變體的蟠虺紋組成獸面紋，另一面飾變形的竊曲紋。
現藏陝西省寶雞市考古工作隊。

斧形佩另一面

燈籠形佩

春秋

陝西鳳翔縣南指揮村秦景公墓出土。
長5.1、寬4.9厘米。
整體似爲兩龍首尾相接,正面飾陰刻蟠虺紋,
背面光素,有孔以便于縫綴、佩戴。
現藏陝西省考古研究院。

燈籠形佩背面

亞字形佩

春秋

陝西鳳翔縣南指揮村秦景公墓出土。
長3.5、寬3厘米。
體呈"亞"字形,雕刻較粗。
現藏陝西省考古研究院。

[玉 器]

春秋戰國（公元前七七〇年至公元前二二一年）

角形佩
春秋
陝西鳳翔縣南指揮村秦景公墓出土。
底寬3.6、高5.2厘米。
扁平體，近似三角形。正面飾陰刻蟠虺紋。背面光素，但在靠頂角處和下端中部各鑽有隧孔。
現藏陝西省秦始皇兵馬俑博物館。

鳥獸紋璜
春秋
河南光山縣寶相寺黃君孟墓出土。
長11、寬2.5厘米。
體扁平。體飾鳥獸紋，兩端各有一穿孔。
現藏河南博物院。

252

龍紋璜
春秋
山西聞喜縣上郭墓地出土。
長7.6、寬2.3厘米。
兩端有圓形穿孔，以孔代眼，整體呈二龍相背形，中部又以雙陰綫刻出兩條形狀對稱、捲身回首的夔龍。
現藏山西博物院。

蟠虺紋璜（右圖）
春秋
陝西寶雞市益門村2號墓出土。
長5.2、寬1.8厘米。
整體呈二龍相背形。兩面飾蟠虺紋，一面陽雕，一面陰刻。
現藏陝西省寶雞市博物館。

蟠虺紋璜陽雕面

[玉 器]

蟠虺紋璜
春秋
江蘇蘇州市吳中區嚴山王陵出土。
長8.6、寬2厘米。
扁平圓弧形，兩端爲對稱的龍首，頭脊有扉棱，背鑽一孔。兩道繩紋將璜身紋飾分爲三組，每組淺浮雕蟠虺紋。兩面紋飾相同。
現藏江蘇省蘇州市吳中區文物管理委員會。

蟠虺紋璜
春秋
江蘇蘇州市吳中區嚴山王陵出土。
長9、寬2.1厘米。
扁平圓弧形，琢同體雙龍形，兩端爲對稱下垂的變體夔龍首，張口捲唇。兩面通體飾有相同的蟠虺紋。背中穿有一小孔，用于垂挂。
現藏江蘇省蘇州市吳中區文物管理委員會。

[玉器]

春秋戰國（公元前七七〇年至公元前二二一年）

蟠虺紋玦
春秋
河南淅川縣下寺出土。
直徑5.8厘米。
體呈不相連的扁環狀，兩面紋飾相同，均雕蟠虺紋。
現藏河南博物院。

龍紋玦
春秋
山西聞喜縣上郭墓地出土。
直徑3.3厘米。
雙面磨平，刻有雙陰綫龍紋。
現藏山西博物院。

255

[玉 器]

柱形玦
春秋
河南輝縣市琉璃閣甲墓出土。
高1.9、直徑2.3厘米。
圓柱形，一側開缺口。外寬內窄，中穿爲孔，爲管鑽所穿，孔內周緣平直。器面浮雕虺龍雲紋，龍首張口、捲鼻、圓眼。
現藏臺灣省"臺北國立歷史博物館"。

柱形玦側背面

鳥獸紋環
春秋
河南光山縣寶相寺黃君孟墓出土。
直徑11.6厘米。
體扁平，正面滿飾鳥獸紋，背面光素。
現藏河南博物院。

【玉 器】

穀紋環
春秋
河南淅川縣徐家嶺10號墓出土。
直徑14.1厘米。
扁平圓形，兩面飾穀紋。
現藏河南博物院。

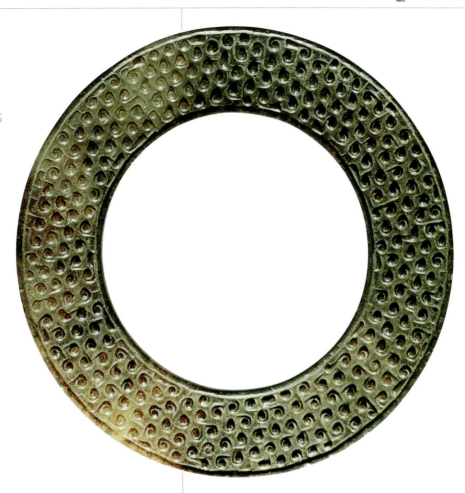

勾雲紋環
春秋
河南淅川縣徐家嶺10號墓出土。
直徑10.6厘米。
扁平圓形，環面飾勾雲紋和網格紋。
現藏河南省文物研究所。

春秋戰國（公元前七七〇年至公元前二二一年）

257

[玉 器]

春秋戰國（公元前七七〇年至公元前二二一年）

穀紋珩
春秋
山西太原市金勝村趙卿墓出土。
長11厘米。
面飾穀紋，兩端各有一穿孔。
現藏山西省考古研究所。

异形珩
春秋
河南輝縣市琉璃閣甲墓出土。
長7.2、寬4厘米。
中央作圓環狀，兩側連環各飾交纏龍紋，此一器形較爲罕見。環器面飾以陰刻細綫圈帶紋，圈帶內有陰刻細斜綫矢紋，共七處。兩端各有一穿孔。
現藏臺灣省"臺北國立歷史博物館"。

【 玉 器 】

雲紋龍形觽
春秋
河南輝縣市琉璃閣甲墓出土。
長9.2、寬1.8厘米。
器為龍形，龍首為圓眼、捲鼻，頭部開一孔，尾部平齊。為串飾組件之一。
現藏臺灣省"臺北國立歷史博物館"。

虺紋龍形觽
春秋
河南輝縣市琉璃閣甲墓出土。
長10.1、寬2.1厘米。
龍圓眼、捲鼻，下顎及角以陰刻細綫斜紋為緣飾，身為淺浮雕虺龍紋、羽紋交錯分布。龍鼻上捲，圓眼，頭開一孔，孔緣、器緣邊有廓。
現藏臺灣省"臺北國立歷史博物館"。

[玉 器]

夔龍雲紋觽
春秋
陝西西安市長安區茅坡村出土。
長11、寬2.4厘米。
觽作扁體牛角形，一端尖銳，另一端雕方形夔龍首。
夔龍口部鏤空，頭上部的扉牙表示鼻、角，通體陰刻
勾雲紋。
現藏陝西省西安市文物保護考古所。

鴨首帶鈎
春秋
陝西寶雞市益門村2號墓出土。
長6、高1.6厘米。
中部爲橢圓形環，圓形一端琢出一短頸
鴨首形作鈎頭，另一端緊連一短管。
現藏陝西省寶雞市博物館。

[玉器]

春秋戰國（公元前七七〇年至公元前二二一年）

蛇首帶鉤背面

蛇首帶鉤
春秋
陝西寶雞市益門村2號墓出土。
長2.8、寬2.2厘米。
鉤體呈中空長方形，鉤頭爲蛇首形。
現藏陝西省寶雞市考古工作隊。

簪（右圖）
春秋
河南淅川縣下寺1號墓出土。
長16厘米。
體呈長圓柱形，簪首雲雷紋和絢紋，
簪身飾雲紋三周。
現藏河南博物院。

261

[玉 器]

鳥獸紋虎形飾
春秋
河南光山縣寶相寺黃君孟墓出土。
長13.4、寬7厘米。
一面飾鳥獸紋，尾殘。一面平素無紋。
現藏河南省信陽市文物管理委員會。

龍紋飾
春秋
河南輝縣市琉璃閣甲墓出土。
長10.5、寬2.7厘米。
器長如柄，自上端至底部有一中穿。上、下邊均有鋸齒狀扉棱。器一側如魚尾形，器面陰刻細綫勾雲紋及一頭雙尾的龍紋。
現藏臺灣省"臺北國立歷史博物館"。

[玉 器]

獸面鳥紋飾
春秋
河南光山縣寶相寺黃君孟墓出土。
高5.6、寬5.9厘米。
體扁平,上大下小,甚薄。上部中央飾鳥紋一對,兩上角各飾一側身的獸紋,下部飾長鬚的獸面紋。
現藏河南博物院。

獸面雲紋飾
春秋
河南淅川縣下寺1號墓出土。
長7.1、寬7.5厘米。
體扁平,滿飾勾雲紋,下部飾長鬚獸面紋。
現藏河南博物院。

春秋戰國(公元前七七〇年至公元前二二一年)

[玉器]

春秋戰國（公元前七七〇年至公元前二二一年）

獸面紋飾
春秋
山東蓬萊市村里集墓葬出土。
長7.6、寬6.8厘米。
體扁薄，作倒梯形。勾雲紋、弦紋及弧圈紋組成獸面紋。
現藏山東省烟臺市博物館。

人首蛇身飾
春秋
河南光山縣寶相寺黃君孟墓出土。
直徑3.8厘米。
兩件大小、厚薄相同，均作側身人形，紋飾略有不同。
現藏河南博物院。

[玉器]

蟠虺紋長方形飾
春秋
江蘇連雲港市東周墓出土。
長13.4厘米。
扁平長條形，雙面飾紋，以雙陰綫勾勒法刻繪蟠虺紋，紋樣相互糾纏，排列整齊，圖案化布局，類似其時青銅器紋飾。
現藏南京博物院。

蟠虺紋長方形飾
春秋
江蘇蘇州市吳中區嚴山王陵出土。
長10.6、寬2.2-2.5厘米。
扁平長方體，上端平直，有一小凹口；下端稍寬，呈楔形，亦有一小凹口。有穿孔。兩側出扉棱。兩面紋飾相同，均以減地淺浮雕手法飾蟠虺紋，夾以細密的羽狀紋。
現藏江蘇省蘇州市吳中區文物管理委員會。

[玉 器]

鸚鵡首拱形飾
春秋
江蘇蘇州市吳中區嚴山王陵出土。
弧長8.4、寬3厘米。
內含墨綠斑點。器呈拱形瓦筒狀，兩端爲對稱的鸚鵡首形。器表飾四組蟠虺紋。
現藏江蘇省蘇州市吳中區文物管理委員會。

活環拱形飾
春秋
江蘇蘇州市吳中區嚴山王陵出土。
長8.2、寬5.6厘米。
器由活環和拱形龜背狀玉飾組成。背兩側分別雕琢一組對稱的鳳鳥紋和獸面紋，反面分飾四組捲雲紋和鳥紋。
現藏江蘇省蘇州市吳中區文物管理委員會。

穀紋盾形飾
春秋
山西太原市金勝村趙卿墓出土。
長10.3厘米。
器身拱起十字脊,器表琢穀紋。中部兩側有出廓的長方形或圓形孔各一個。
現藏山西省考古研究所。

雲紋管形飾
春秋
山西太原市金勝村趙卿墓出土。
長10.6厘米。
扁體,通體雕琢凸起的捲雲紋,兩側雕琢成齒脊狀。
現藏山西省考古研究所。

[玉 器]

穀紋管形飾
春秋
山西太原市金勝村趙卿墓出土。
高4.5、孔徑0.8厘米。
器體呈上粗下細的圓柱體。頂面有一圓藍色料珠,器表上、中、下各飾凸弦紋一周,通體雕琢穀紋。
現藏山西省考古研究所。

夔龍紋管形飾
春秋
江蘇蘇州市吳中區嚴山王陵出土。
長4.9、大頭外徑1.9、小頭外徑1.1、孔徑0.6厘米。
不規則圓管形,一端齊平,一端微鼓,逐漸收成圓嘴形。管表細平端飾二組弦紋,每組以三周陰刻細弦紋組成,圓鼓端飾三組夔龍紋。
現藏江蘇省蘇州市吳中區文物管理委員會。

[玉器]

春秋戰國（公元前七七〇年至公元前二二一年）

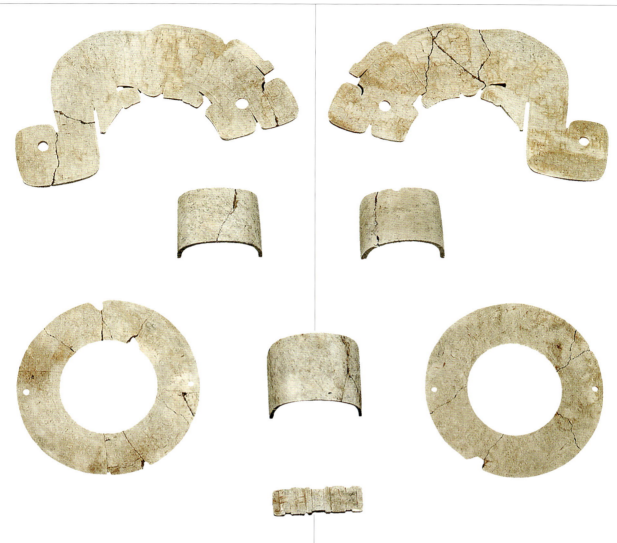

覆面
春秋
江蘇蘇州市滸關真山墓葬出土。
虎形飾寬15.5、高8.1厘米，眼罩寬4.6、高3.5厘米，瑗外徑9.7厘米，鼻罩寬5.2、高3.6厘米，束腰形飾寬4.7、高1.4厘米。
由虎形飾兩件作眉，拱形飾作眼、鼻，兩件瑗作面頰，束腰形飾作嘴。
現藏江蘇省博物館。

人首飾（右圖）
春秋
河南光山縣寶相寺黃君孟墓出土。
高3.8、寬2.5厘米。
人物頭戴兩側沿下垂的冠帽，雙耳戴環。
現藏河南博物院。

269

[玉器]

人形飾
春秋
河南固始縣侯古堆1號墓出土。
高2.5厘米。
青白，略泛黃。跽坐狀，雙手扼於腹前。
現藏河南省文物考古研究所。

人形飾側面

獸面雲紋匕首柄
春秋
河南淅川縣下寺出土。
長10.5、寬4厘米。
匕首柄呈"工"字狀，兩面雕獸面紋和雲紋。
現藏河南博物院。

[玉 器]

春秋戰國（公元前七七〇年至公元前二二一年）

穀紋劍珌
春秋
山西太原市金勝村趙卿墓出土。
長4、寬2.7厘米。
扁長方形，琢有穀紋，上端兩角各鑽一穿孔，孔內穿三道金絲，可與劍鞘下端相連接。中部有兩個凹坑，可納劍鞘下端。
現藏山西省考古研究所。

動物紋劍璏
春秋
山西太原市金勝村趙卿墓出土。
長5.2、寬4.2厘米。
長方體，器物表面雕琢各種動物紋，上部爲蟠螭紋，中部飾鳥紋，下部刻龍紋。
現藏山西省考古研究所。

[玉 器]

春秋戰國（公元前七七〇年至公元前二二一年）

雲紋鎮
春秋
浙江紹興市印山越王允常陵出土。
高6.5、底徑7.5厘米。
八棱形，實心，頂有穿孔小鈕，通體陰刻捲雲紋。
現藏浙江省紹興市文物保護所。

龍首形挂鈎
春秋
浙江紹興市印山越王允常陵出土。
長12.3厘米。
鈎爲龍首形，末端兩面斜收，應是插入其他物體所用，用于挂鐘磬之器。
現藏浙江省紹興博物館。

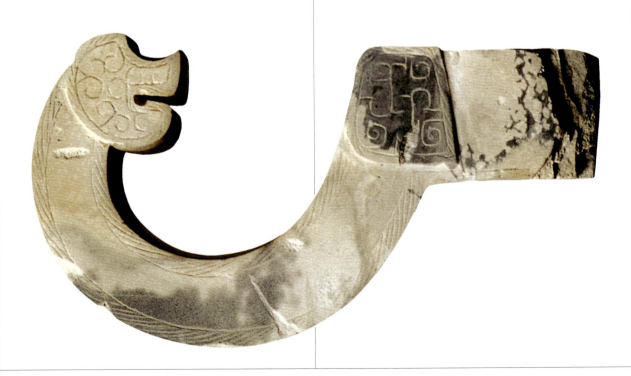

[玉 器]

春秋戰國（公元前七七〇年至公元前二二一年）

夔龍紋梳
春秋
河南淅川縣下寺1號墓出土。
長7.7厘米。
梳上部兩面刻變形夔龍紋，下部梳齒有殘斷。
現藏河南博物院。

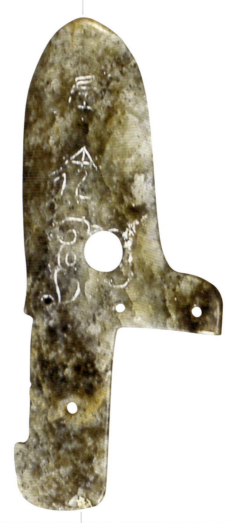

畢公左徒戈
戰國
河南洛陽市唐宮路小學出土。
長13.3厘米。
內上一穿，援上一孔，周邊飾獸面紋。闌上有三穿。援的兩面分別刻有銘文，一面爲"畢公"，一面爲"左徒"。
現藏河南省洛陽市文物工作隊。

273

[玉器]

獸面紋琮
戰國
湖北隨州市擂鼓墩曾侯乙墓出土。
高5.4、孔徑5.5厘米。
四面陰刻獸紋。
現藏湖北省博物館。

勾雲紋琮
戰國
河南平頂山市應國墓地出土。
高4.5厘米。
四面飾勾雲紋。
現藏河南省平頂山市文物管理委員會。

[玉 器]

銀座琮
戰國
江蘇漣水縣三里墩出土。
高9、孔徑5.5厘米。
由蓋、琮、底座三部分組成。外方內圓，
四面光素無紋。蓋與底座係西漢時後配。
現藏南京博物院。

春秋戰國（公元前七七〇年至公元前二二一年）

[玉 器]

春秋戰國（公元前七七〇年至公元前二二一年）

五龍璧
戰國
河南孟津縣出土。
直徑14.8厘米。
璧四周雕鏤空行龍四條。穿外分二區，内區飾
夔龍紋，外區飾穀紋。穿内有團龍一條。
現藏河南省洛陽市文物工作隊。

雙龍穀紋璧
戰國
河南洛陽市西工區131號戰國墓出土。
長5.9、寬4.7厘米。
兩面飾渦紋，兩側飾對稱透雕伏龍，龍首下勾，上立一鳥，龍尾下垂，尾尖外捲成一孔。
現藏河南省洛陽博物館。

勾雲紋璧
戰國
河北平山縣七汲村中山國1號墓出土。
直徑14.6厘米。
扁平圓形，中有孔，璧面飾勾雲紋。
現藏河北省文物研究所。

[玉 器]

春秋戰國（公元前七七〇年至公元前二二一年）

雙鳳穀紋璧
戰國
河北平山縣七汲村中山國1號墓出土。
長7.6、寬4厘米。
兩側雕鳳紋，鳳立姿，鳳首外向。璧面飾穀紋。
現藏河北省文物研究所。

雙龍穀紋璧
戰國
河北平山縣七汲村中山國1號墓出土。
長12.6厘米。
璧兩側飾對稱螭龍，龍身蟠曲，尖尾回環，璧飾穀紋。
現藏河北省文物研究所。

278

[玉器]

春秋戰國（公元前七七〇年至公元前二二一年）

夔龍穀紋璧
戰國
山東淄博市臨淄區商王村2號墓出土。
直徑19厘米。
紋飾分內外兩區，內區飾穀紋，外區飾四組合首雙身的夔龍紋，內外緣陰刻輪廓綫。
現藏山東省淄博市博物館。

夔龍穀紋璧
戰國
山東曲阜市魯國故城乙組52號墓出土。
直徑19.9厘米。
內層飾穀紋。外層飾四組合首雙身夔龍紋，各組之間以雙綫弦紋相隔。
現藏山東省曲阜孔府文物檔案館。

[玉 器]

夔龍穀紋璧
戰國
山東曲阜市魯國故城乙組52號墓出土。
直徑31厘米。
璧面紋飾分三層，內層與外層飾合首雙身的夔龍紋，中層飾穀紋，各層之間以繩紋相隔。
現藏山東省曲阜孔府文物檔案館。

[玉器]

春秋戰國（公元前七七〇年至公元前二二一年）

雙鳳穀紋璧
戰國
山東曲阜市魯國故城乙組58號墓出土。
直徑4.4厘米。
兩側飾鳳紋，璧面飾穀紋。
現藏山東省曲阜孔府文物檔案館。

雲紋璧
戰國
湖北隨州市擂鼓墩曾侯乙墓出土。
直徑8厘米。
璧面飾雲紋三周，間飾穀紋。
現藏湖北省博物館。

281

[玉 器]

春秋戰國（公元前七七〇年至公元前二二一年）

穀紋璧
戰國
浙江安吉縣遞鋪鎮壠壩村出土。
直徑12.2厘米。
扁平圓形，雙面飾穀紋。
現藏浙江省安吉縣博物館。

夔龍穀紋合璧
戰國
直徑11厘米。
整器對剖成兩半，孔內雕一夔龍，
璧面飾穀紋。兩面飾紋相同。
現藏故宮博物院。

【 玉 器 】

春秋戰國（公元前七七〇年至公元前二二一年）

組佩
戰國
山東曲阜市魯國故城乙組58號墓出土。
通長31、玉環徑5.2、龍形飾長10.7厘米。
由玉環、玉鼓形管、玉扁圓形珠、玉圓柱
形管和玉夔龍形飾等共十一件玉飾組成。
現藏山東省曲阜市孔府文物檔案館。

283

[玉 器]

組佩
戰國
湖北隨州市擂鼓墩曾侯乙墓出土。
長48、寬8.3厘米。
全器由橢圓形環套十六節飾件構成長的龍形。各節透雕成龍、鳳或璧、環形，并在兩面以鱗紋、圓點紋等浮雕表現龍鳳的細部。整器五塊玉料剖解爲十六節，再以三個圓環及一個銷釘連接成一串，各節可以活動折捲。
現藏湖北省博物館。

【玉器】

穀紋雙龍佩
戰國
河南洛陽市出土。
長11.9、寬7.4厘米。
雙龍呈拱形，龍回首張口，龍爪彎曲，
龍體圓潤有力，飾穀紋。
現藏河南省洛陽博物館。

穀紋龍形佩
戰國
河南淮陽縣平糧臺42號墓出土。
長11.4、寬5.8厘米。
一對。龍身呈拱形，張口回首，
身飾穀紋。
現藏河南省文物考古研究所。

[玉 器]

春秋戰國（公元前七七〇年至公元前二二一年）

雙龍佩
戰國
河南信陽市長臺關1號墓出土。
長8.6、寬4厘米。
兩龍同體，龍首回望，龍身拱起。
龍身下飾倒置牛首，牛口咬龍身。
現藏中國國家博物館。

穀紋雙龍佩
戰國
河南淮陽縣平糧臺17號墓出土。
長12.3厘米。
雙龍同體，一首回望，一首下垂，
躬腰處有穿孔。下垂之龍無角。
現藏河南省文物考古研究所。

[玉器]

春秋戰國（公元前七七〇年至公元前二二一年）

絞絲紋龍形佩
戰國
河南洛陽市唐宮路小學出土。
長19、寬1厘米。
一對相同，勾首，曲角，表面琢成由細密的陰綫組成的絞絲紋。
現藏河南省洛陽市文物工作隊。

雲紋龍形佩
戰國
河南淮陽縣平糧臺16號墓出土。
長11.8厘米。
龍身呈拱形，張口回首，躬腰處有穿孔。
現藏河南省文物考古研究所。

287

[玉 器]

雲紋夔龍佩
戰國
河南洛陽市西二區7602號墓出土。
長12.6、寬3厘米。
呈"弓"形，通體飾渦雲紋。
現藏河南省洛陽市文物工作隊。

夔龍佩
戰國
河南洛陽市西二區7602號墓出土。
長10.2、寬4.6厘米。
呈"S"形，首反顧伏于腹下，無紋。
現藏河南省洛陽市文物工作隊。

[玉器]

春秋戰國（公元前七七〇年至公元前二二一年）

鳳首龍身佩
戰國
河南淮陽縣平糧臺17號墓出土。
長6.7厘米。
透雕成鳳首龍體。
現藏河南省文物考古研究所。

龍鳳佩
戰國
河南葉縣出土。
長9.9、寬5.5厘米。
圖案由四龍、四鳳和二螭組成。
現藏河南省文物考古研究所。

[玉 器]

榖紋龍形佩
戰國
山西侯馬市西高村戰國祭祀遺址出土。
長18.4、寬8厘米。
龍俯首，中腰一孔，雙面榖紋。
現藏山西省考古研究所。

榖紋龍形佩
戰國
山西侯馬市西高村戰國祭祀遺址出土。
上長19、寬3.9厘米，下長18.2、寬4.3厘米。
一對。單面榖紋，上佩中腰有一孔，下佩無孔。
現藏山西省考古研究所侯馬工作站。

穀紋龍形佩
戰國
山西侯馬市西高村戰國祭祀遺址出土。
長10、寬4.7厘米。
單面雕穀紋，中腰有一孔。
現藏山西省考古研究所。

龍形佩
戰國
山西侯馬市西高村戰國祭祀遺址出土。
長10.8、寬3厘米。
兩個透雕龍，套在兩個環形鈕內，可折合。素面。
現藏山西省考古研究所。

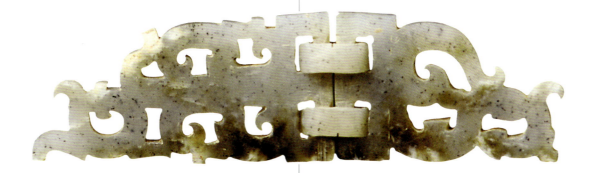

[玉 器]

雲紋鳳龍形佩
戰國
山西侯馬市西高村戰國祭祀遺址出土。
長10、寬3.8厘米。
一對。龍雙首同身，體中央附一獸首雙身（形似歧尾揚翅的鳥），龍首兩側附三隻鳳鳥，雙面陰刻渦雲紋。
現藏山西省考古研究所。

【玉器】

春秋戰國（公元前七七〇年至公元前二二一年）

雲紋龍形佩
戰國
山西長治市分水嶺53號墓出土。
長9.3、寬3.5厘米。
龍身拱起，首下垂，尾上揚，身飾雲紋。
現藏山西博物院。

雲紋龍形佩
戰國
山西長子縣牛家坡墓地7號墓出土。
長10.5、寬4厘米。
扁平體，龍首向後回捲，尾部向上回捲。
龍眼、鼻都以單陰綫雕琢，身體飾雲紋。
現藏山西博物院。

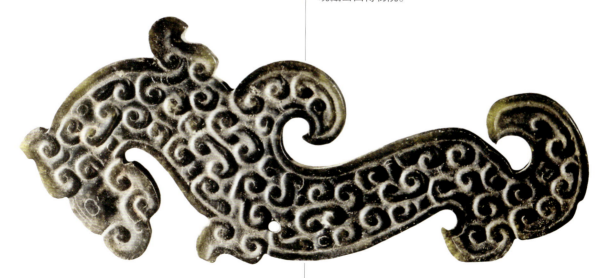

293

[玉器]

春秋戰國（公元前七七〇年至公元前二二一年）

穀紋龍鳳形佩
戰國
山西侯馬市虒祁墓地2129號墓出土。
長17厘米。
龍尾爲鳳頭，鳳尾爲龍頭，
龍鳳共用一身。身飾穀紋。
現藏山西省考古研究所。

雲紋龍形佩
戰國
河北平山縣七汲村中山國1號墓出土。
長10、寬3.2厘米。
龍張口回首，身飾渦雲紋。
現藏河北省文物研究所。

[玉器]

春秋戰國（公元前七七〇年至公元前二二一年）

穀紋龍形佩
戰國
河北平山縣七汲村中山國1號墓陪葬墓出土。
長23.2、寬11.4厘米。
龍張口回首，身呈"弓"形，上飾穀紋。
現藏河北省文物研究所。

穀紋龍形佩
戰國
河北平山縣三汲鄉中山王墓出土。
長11.8、寬3.2厘米。
龍張口回首，身呈"弓"形，上飾穀紋。
現藏河北省文物研究所。

295

[玉 器]

三龍環形佩
戰國
河北平山縣七汲村中山國1號墓出土。
直徑6.4厘米。
體扁圓，外雕三龍，龍張口回望，
身飾鱗紋和渦雲紋。
現藏河北省文物研究所。

[玉器]

龍形佩
戰國
河北平山縣三汲鄉中山王墓出土。
長10.8、寬4.2厘米。
兩龍相互首尾相交，龍尾下接二相背小龍。
玉佩一面墨書"公主一吉玉"五字。
現藏河北省文物研究所。

穀紋雙龍雙鳳佩
戰國
山東淄博市臨淄區商王村1號墓出土。
長8.8、寬5.8厘米。
兩面紋飾相同。龍為雙首一身，呈"門"字形，身上飾穀紋，身下"門"字形內飾雙鳳，鳳張口對視。在上部正中和兩龍頸下部各有一穿。
現藏山東淄博市博物館。

春秋戰國（公元前七七〇年至公元前二二一年）

297

[玉器]

春秋戰國（公元前七七〇年至公元前二二一年）

穀紋龍形佩
戰國
山東曲阜市魯國故城乙組58號墓出土。
長15.4、寬5.8厘米。
龍呈"弓"字形，張口回首，身飾穀紋。
現藏山東省曲阜市孔府文物檔案館。

穀紋龍形佩
戰國
山東曲阜市魯國故城乙組52號墓出土。
長15.5厘米。
龍張口回首，身飾穀紋。
現藏山東省曲阜市孔府文物檔案館。

[玉器]

春秋戰國（公元前七七〇年至公元前二二一年）

雲紋雙龍佩
戰國
山東淄博市臨淄區商王村1號墓出土。
長7.9、寬4.3厘米。
透雕雙龍，左右對稱，作奔跑狀，龍首曲頸外伸，身飾雲紋。
現藏山東省淄博市博物館。

穀紋夔龍佩
戰國
陝西西安市長安區灃西配件廠出土。
長11.0、寬2.4厘米。
呈扁平璜形，一端爲夔龍首。口部有一穿孔。
現藏陝西省西安市文物保護考古所。

[玉 器]

春秋戰國（公元前七七〇年至公元前二二一年）

龍鳳佩
戰國
陝西咸陽市正陽鄉秦都咸陽城遺址出土。
長10、寬4厘米。
扁平體，鏤空透雕成平置"S"狀龍鳳連體佩。一端爲龍頭，另一端爲鳳頭。有五個鑽孔。
現藏陝西省咸陽博物館。

雲紋龍形佩
戰國
湖北隨州市擂鼓墩曾侯乙墓出土。
左長11.6、寬6.5，右長11.6、寬6.8厘米。
一對。龍形，體寬肥，龍曲身、回首、歧尾。一面爲素面，另一面淺浮雕兩兩相對的雲紋，其間夾以穀紋，佩邊緣以勾雲紋凸起，以表現龍之爪、尾等。中部有一鑽孔。
現藏湖北省博物館。

雲紋龍形佩

戰國

湖北隨州市擂鼓墩曾侯乙墓出土。
左長11.5、寬8厘米,右長11.3、寬7.7厘米。
一對。通體拋光,兩面雕渦雲紋和勾連雲紋,
邊緣陰刻斜綫紋。
現藏湖北省博物館。

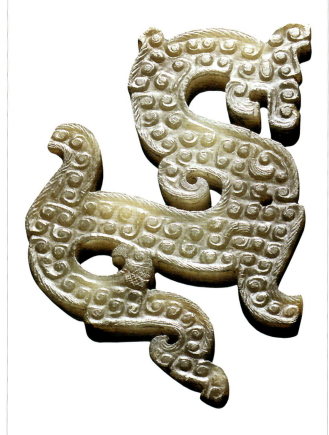

[玉器]

雙龍佩
戰國
湖北隨州市擂鼓墩曾侯乙墓出土。
長12.1、寬4.9厘米。
器近似于長方形。透雕出對稱的蜷身龍形，首相背，尾相連。龍身飾陰刻的勾雲、斜綫和三角等紋。
現藏湖北省博物館。

雲紋龍形佩
戰國
湖北江陵縣望山2號墓出土。
長18、寬14厘米。
一對。龍身細長，通體飾渦雲紋和勾連雲紋。
現藏湖北省博物館。

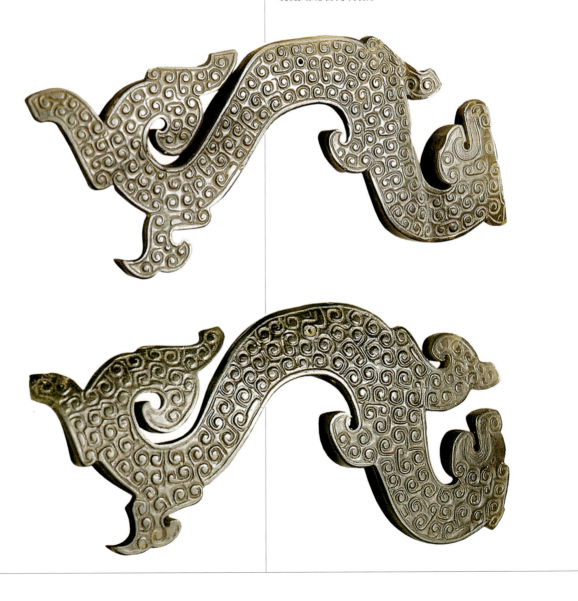

穀紋龍形佩
戰國
湖南澧縣新洲1號墓出土。
長14.2、寬4.7厘米。
體扁平，龍體作伏臥回首躬身蜷曲狀，龍吻與軀體連接，尾巴上捲，前後足前伸。龍首有較長的獨角。
現藏湖南省文物考古研究所。

穀紋對龍形佩
戰國
湖北隨州市擂鼓墩曾侯乙墓出土。
長5.9、寬4.2厘米。
透雕對稱蜷身龍形，龍口吐長舌，龍身飾穀紋。
現藏湖北省博物館。

[玉 器]

四節龍鳳佩
戰國
湖北隨州市擂鼓墩曾侯乙墓出土。
長9.5、寬7.2厘米。
由一塊玉料雕出四節，并用三環套連成一器。三環首尾紋飾相連爲一龍，上環爲龍首，中環爲龍背，下環爲龍腹。各節雕相對的龍鳳紋，第一節爲對鳳，第二至四節爲對龍。在第二節龍身上還刻有四條小蛇。現藏湖北省博物館。

雲紋龍形佩
戰國
浙江安吉縣龍山1號墓出土。
長9、寬8厘米。
扁薄形。龍體虬曲,背高拱,龍首側向,昂首張嘴,尾上捲,頸和爪上立有二隻小鳥。拱背一側有鳳首,拱背上有一小圓孔可穿綫佩挂。兩面滿飾捲雲紋。
現藏浙江省安吉縣博物館。

雲紋龍形佩
戰國
浙江安吉縣遞鋪鎮壠壩村出土。
長6、寬4.2厘米。
兩面淺刻捲雲紋,上下各一孔。
現藏浙江省安吉縣博物館。

[玉器]

榖紋龍形佩
戰國
安徽長豐縣楊公2號墓出土。
長13.5、寬7厘米。
兩端鏤雕龍紋，龍作回首狀，龍體飾三連榖紋，龍體下雕變體鳳紋。
現藏故宮博物院。

榖紋龍鳳形佩
戰國
安徽長豐縣楊公8號墓出土。
長21、寬11.5厘米。
佩體扁平，鏤雕龍鳳合體造型。
現藏安徽省文物考古研究所。

[玉 器]

春秋戰國（公元前七七〇年至公元前二二一年）

穀紋龍形佩
戰國
安徽天長市三角圩漢墓群出土。
長14.1、寬4.1厘米。
一對。器呈扁平片狀，龍首回望，曲體蜷足，尾分岔捲曲，背部出脊，中穿孔。
現藏安徽省天長市博物館。

雲紋龍鳳形佩
戰國
安徽長豐縣楊公2號墓出土。
長15.4、寬6.8厘米。
體扁平，上部為雙首共身龍（一龍首殘佚），龍張口前視，身飾雲紋。龍身下雕一對站立的長尾鳳鳥，兩鳳鳥之間和鳳鳥足下飾捲雲紋。
現藏故宮博物院。

307

[玉 器]

春秋戰國（公元前七七〇年至公元前二二一年）

龍鳳形佩
戰國
安徽合肥市省消防器材廠工地出土。
長8.2、寬5.4厘米。
右側殘。佩的右上部雕刻兩龍，首相背，角相連。兩龍的尾部雕刻兩隻鳳鳥相背，鳳冠相連。佩左下部雕一龍弓身捲尾。左上側"S"形體的表面陰綫刻兩條夔龍。器表滿飾陰綫刻繩索紋、節紋、雲紋、網紋和鱗紋等。
現藏安徽省合肥市文物管理處。

龍紋盾形佩
戰國
江蘇無錫市鴻山鎮越國貴族墓出土。
長7.9、寬5.8厘米。
單面雕，長圓形。兩側各向外凸起一梯形耳，上有兩穿。正面以十字形帶紋分爲四區。四區內各有一龍紋，龍回首曲體呈"S"形。
現藏南京博物院。

【玉器】

雙龍佩
戰國
長5.2、寬2.9厘米。
兩龍身相連，身下一蟠虺，
一頭兩身。兩面刻紋相同。
現藏故宮博物院。

龍形佩
戰國
長7.5、寬4.1厘米。
體扁，龍回首張口，有獠牙。龍身
雕一腿甚粗壯，造型十分罕見。
現藏故宮博物院。

[玉 器]

春秋戰國（公元前七七〇年至公元前二二一年）

龍鳳形佩
戰國
長16.5、寬2.2厘米。
兩面紋飾相同，龍鳳同體，中間還陰刻有一龍。
現藏故宮博物院。

螭銜人形佩
戰國
長6.2、寬3.8厘米。
一螭蟠繞成環，螭首銜一裸人，環兩側附對稱的裸身人形紋飾。
現藏中國國家博物館。

310

[玉 器]

春秋戰國（公元前七七〇年至公元前二二一年）

雙鳳形佩
戰國
河北易縣燕下都出土。
高9.8、寬9.2厘米。
單體透雕。雙鳳彎頸作回首狀。
現藏河北省文物研究所。

鳳形佩
戰國
江蘇無錫市鴻山鎮越國貴族墓出土。
長3.3、寬2.5厘米。
鳳呈展翅飛翔狀，翅作"S"形，
冠和雙目凸起。
現藏南京博物院。

[玉 器]

春秋戰國（公元前七七〇年至公元前二二一年）

鳳鳥形佩
戰國
長11.6厘米。
鳳鳥昂首展翅，作飛翔狀。
現藏故宮博物院。

鳥獸紋虎形佩
戰國
湖北隨州市擂鼓墩曾侯乙墓出土。
長9.6、寬2.7厘米。
扁平體，頗薄，器形作伏虎狀。
現藏湖北省博物館。

[玉器]

春秋戰國（公元前七七〇年至公元前二二一年）

雲紋犀牛形佩
戰國
河南孟津縣出土。
長15.5、寬7.2厘米。
臥伏狀，牛首右側，尾內捲，
身飾渦雲紋和勾雲紋。
現藏河南省洛陽市文物工作隊。

鱗紋龍形佩
戰國
河南淮陽縣平糧臺49號墓出土。
長9、寬5厘米。
龍首獸身。通體刻鱗紋，前爪前伸，後爪收于腹下。吻部與脊部各鑽一小孔。
現藏河南省文物考古研究所。

[玉器]

春秋戰國（公元前七七〇年至公元前二二一年）

鸚鵡形佩
戰國
河南輝縣市固圍村2號墓出土。
長7.6厘米。
體扁平，兩面透雕成鸚鵡形。
現藏中國國家博物館。

鳥形佩
戰國
湖北隨州市擂鼓墩曾侯乙墓出土。
長9.3、寬2.9厘米。
器近似於長方形，一端平齊，另一端作尖勾狀，表現鳥首。鳥背的一側有六個單向鑽孔，相對的另一側透雕出勾雲形。鳥身飾淺浮雕的雲紋、絞索紋和圓點紋，周邊飾斜綫紋。
現藏湖北省博物館。

[玉 器]

四鳥佩
戰國
高6.9、寬5.1厘米。
此佩共雕四鳥，上部二鳥對立瑗外，下部雙鳥相對框內。兩面紋飾相同。
現藏故宮博物院。

叠人踏豕佩
戰國
湖北棗陽市九連墩2號墓出土。
高5.1、寬2.8厘米。
玉佩由一塊玉雕琢而成，三叠人踏豕造型。
現藏湖北省博物館。

[玉 器]

春秋戰國（公元前七七〇年至公元前二二一年）

雲紋瓶形佩
戰國
安徽長豐縣楊公2號墓出土。
高3.2、寬4.2厘米。
體呈瓶形，瓶身飾勾雲紋。
現藏故宮博物院。

鳳鳥雲紋管飾
戰國
安徽長豐縣楊公2號墓出土。
高5.2、管徑1.2厘米。
中部爲圓管，兩側有突出的透雕鳳鳥紋。
現藏安徽省文物考古研究所。

[玉 器]

春秋戰國（公元前七七〇年至公元前二二一年）

龍形璜
戰國
河南輝縣市固圍村1號墓出土。
長20.5、寬4.8厘米。
主體爲雙首龍，身上中部飾一臥獸，龍口兩端各雕一對合體鳳鳥。通體飾雲紋、龍紋及變形龍紋。
現藏中國國家博物館。

網紋雙龍首璜
戰國
河北平山縣三汲鄉中山王墓出土。
長4.9厘米。
兩端各雕龍頭，身飾網格紋，背有一穿。
現藏河北省文物研究所。

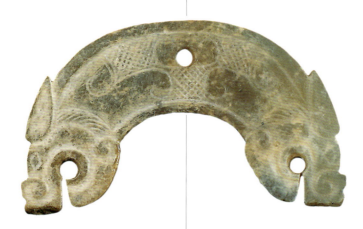

317

[玉 器]

捲雲紋璜
戰國
河北平山縣三汲鄉中山王墓出土。
長5.4厘米。
飾捲雲紋，兩端有孔。
現藏河北省文物研究所。

雲紋雙犀首璜
戰國
山東曲阜市魯國故城乙組52號墓出土。
寬8.7厘米。
兩端各雕一犀牛頭，身飾穀紋，下雕雲紋。
現藏山東省曲阜市孔府文物檔案館。

[玉 器]

春秋戰國（公元前七七〇年至公元前二二一年）

雲紋雙龍首璜
戰國
山東淄博市臨淄區商王村1號墓出土。
長12.5、寬5.6厘米。
雙龍首形，口部透雕。尖唇，杏仁目，獨角，龍身飾陰刻勾連雲紋。中部外緣處有一穿孔。內外緣有透雕的雲紋和螭紋。
現藏山東省淄博市博物館。

雲紋雙連璜
戰國
湖北隨州市擂鼓墩曾侯乙墓出土。
長11.8、寬2.7厘米。
雙璜，由三道金絲連成半圓形，兩面雕雲紋和陰刻斜綫紋。
現藏湖北省博物館。

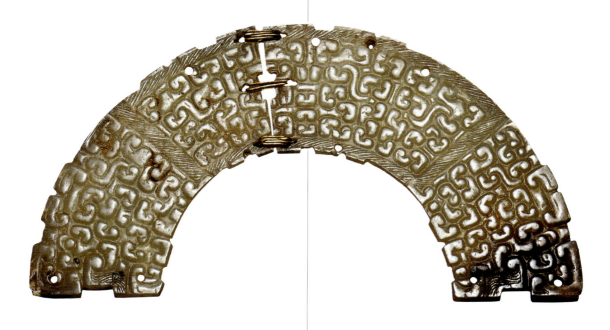

[玉 器]

雲紋璜
戰國
湖北隨州市擂鼓墩曾侯乙墓出土。
長15.4、寬4.5厘米。
器兩側微起牙扉，中間有一鑽孔。紋飾以孔爲中心左右對稱，飾七層勾雲紋。現藏湖北省博物館。

雙龍紋璜
戰國
湖南臨澧縣九里茶場1號墓出土。
長8.8、寬1.9厘米。
體扁平，呈弧形，分上下兩層，透雕分隔。上下兩端雕對稱的龍首，以龍口爲孔，龍首琢有尖角，龍身表面陰刻雲紋。現藏湖南省博物館。

[玉 器]

春秋戰國（公元前七七〇年至公元前二二一年）

雲紋雙龍首璜

戰國

湖南澧縣新洲1號墓出土。

長5.6、寬1.7厘米。

扁平體，半圓形，龍首位于玉璜的兩端，頭部及五官簡略，僅透雕口部。表面陰刻渦雲紋，躬身中央有一圓孔，可供繫佩。

現藏湖南省文物考古研究所。

龍鳳璜

戰國

湖北隨州市擂鼓墩曾侯乙墓出土。

長16、寬4.6厘米。

透雕相互纏結的龍、鳳和蛇。背面無紋。

現藏湖北省博物館。

321

[玉 器]

雲紋雙龍紋璜
戰國
山東曲阜市魯國故城乙組52號墓出土。
長8.7厘米。
璜身滿刻渦雲紋，背有一穿孔。璜下雕相對的雙龍。
現藏山東省曲阜市文物管理委員會。

穀紋雙龍首璜
戰國
安徽長豐縣楊公2號墓出土。
長17.5、寬3厘米。
兩面紋飾相同。兩端飾龍首，身飾穀紋。
現藏安徽省文物考古研究所。

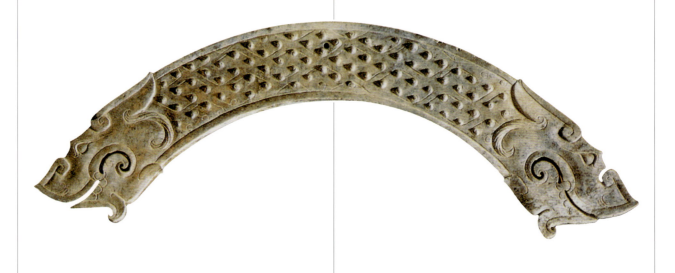

【 玉 器 】

雲紋珩
戰國
湖北隨州市擂鼓墩曾侯乙墓出土。
長13.2、寬4.5厘米。
器兩側微起牙扉。紋飾以中間孔爲軸，左右對稱，器身滿飾雲紋，兩端各有一個圓形的孔。
現藏湖北省博物館。

雙龍首珩
戰國
安徽天長市三角圩漢墓群出土。
長8.4、寬2.5厘米。
弧形扁平體。兩端用細單陰綫琢出龍睛，對鑽圓孔爲龍口。中間飾網格和捲雲紋，上端正中有一穿孔。兩面紋飾相同。
現藏安徽省天長市博物館。

春秋戰國（公元前七七〇年至公元前二二一年）

[玉器]

雲雷紋龍形觹
戰國
浙江安吉縣遞鋪鎮壠壩村出土。
長7.8、寬2.1厘米。
一對。龍首，短方角，雙面淺刻雲雷紋。
現藏浙江省安吉縣博物館。

絞絲紋龍形觹
戰國
安徽長豐縣楊公2號墓出土。
長11.5厘米。
上端鏤雕一龍首，身飾絞絲紋。
現藏安徽省文物考古研究所。

[玉 器]

雲紋玦
戰國
湖北隨州市擂鼓墩曾侯乙墓出土。
直徑5厘米。
扁平呈環形，一側有缺口，玦面上飾捲雲紋。
現藏湖北省博物館。

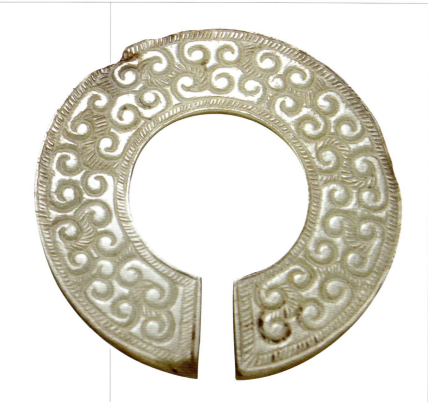

雲紋環
戰國
河南洛陽市唐宮路小學戰國墓出土。
直徑7厘米。
雙面飾極細密的斜綫紋和勾雲紋。
現藏河南省洛陽博物館。

春秋戰國（公元前七七〇年至公元前二二一年）

[玉 器]

蟠虺紋環
戰國
山西長治市分水嶺53號墓出土。
直徑5.2厘米。
兩面均雕相同的象首紋和蟠虺紋，
餘地填以勾雲紋。
現藏山西博物院。

龍鳳紋環
戰國
山東淄博市臨淄區商王村
1號墓出土。
直徑11厘米。
平雕。內外緣飾繩紋，間
以鏤雕左右對稱的雙龍、
雙螭、雙鳳。雙龍曲頸回
首，張口露齒，尾飾絞絲
紋。雙螭口銜龍尾，身彎
曲翻轉。雙鳳亦作回首
狀，尾與螭尾交叉。兩面
紋飾相同。

[玉 器]

雙龍雙虎紋環

戰國
山東淄博市臨淄區商王村1號墓出土。
長11、寬10.5、內徑6.4厘米。
左側殘損。雙龍雙虎形。龍首平伸，長角獠牙。
虎引頸昂首，短角有鬚，身體彎曲。
現藏山東省淄博市博物館。

春秋戰國（公元前七七〇年至公元前二二一年）

[玉 器]

春秋戰國（公元前七七〇年至公元前二二一年）

瑪瑙環

戰國

浙江杭州市半山區石塘鎮小溪塢1號墓出土。
左直徑3.3、右直徑3.8厘米。
瑪瑙質。呈正圓形，斷面近菱形。
現藏浙江省杭州歷史博物館。

雲紋瑗

戰國

浙江杭州市半山區石塘鎮出土。
直徑4.1厘米。
內外出廓，雙面飾勾雲紋。
現藏浙江省杭州歷史博物館。

328

[玉 器]

獸首帶鈎
戰國
山東曲阜市魯國故城乙組58號墓出土。
長8.3、寬6.8厘米。
鈎端爲獸首，鈎身飾獸面紋和勾雲紋。
現藏山東省曲阜市孔府文物檔案館。

春秋戰國（公元前七七〇年至公元前二二一年）

[玉 器]

春秋戰國（公元前七七〇年至公元前二二一年）

包金嵌玉銀帶鈎
戰國
河南輝縣市固圍村1號墓出土。
長18.7、寬4.9厘米。
琵琶形，底爲銀托。器表爲包金組成的浮雕獸首和長尾鳥，獸首分列鈎前後兩端，長尾鳥位于兩側。脊背正中嵌三塊玉玦，兩頭玉玦鑲有料珠。
現藏中國國家博物館。

鵝首帶鈎
戰國
湖北隨州市擂鼓墩曾侯乙墓出土。
長6、寬1.5厘米。
側視呈鵝首形，身飾勾雲紋。
現藏湖北省博物館。

330

[玉 器]

覆面
戰國
河南洛陽市出土。
通長20厘米。
爲兩塊玉鏤空雕琢而成。上玉塊爲弧形，雕琢一首雙身龍；下玉呈倒梯形，透雕龍、虺等形，整體呈人面形。現藏河南省洛陽博物館。

春秋戰國（公元前七七〇年至公元前二二一年）

[玉 器]

覆面

戰國

河南洛陽市中州路1316號墓出土。
石片最長3、最寬3厘米。
由二十六塊玉飾組成人面狀，五官分明。
現藏中國國家博物館。

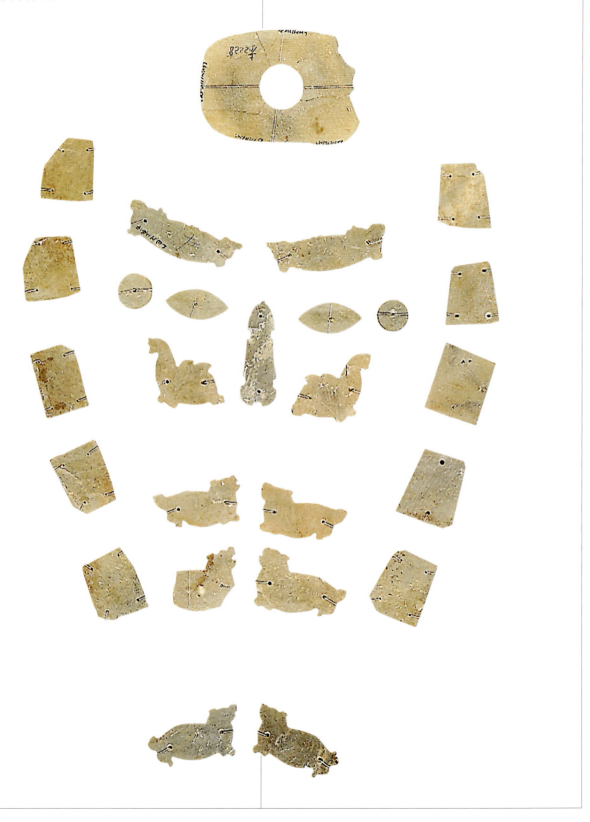

覆面

戰國

湖北荊州市秦家山2號墓出土。
高20、寬13.9厘米。
用鋸截成人面輪廓。眼、鼻、嘴鏤空,其他部位以陰綫表示。四周有八個小孔,便于縫綴于絲織品上。
現藏湖北省荊州博物館。

[玉 器]

人形飾

戰國
河南洛陽市銅加工廠出土。
高7.5厘米。
跪坐狀，頭梳低平髻，雙手扼于腹前，身上綫刻三角、
大小方格和條帶等紋飾。
現藏河南省洛陽博物館。

人形飾背面

[玉器]

春秋戰國（公元前七七〇年至公元前二二一年）

人形飾
戰國
河南洛陽市針織廠東周墓出土。
身高4.4厘米。
站立（一腿殘）、平視，雙手交叉于腹前，盤頭束髮，着右衽長衣，腰束帶，足蹬靴。
現藏河南省洛陽博物館。

人形飾
戰國
山西侯馬市西高村戰國祭祀遺址出土。
高2.9、寬1.2厘米。
籠袖，頭戴冠帽，身着長袍，衣服上刻網格紋。
現藏山西省考古研究所。

[玉 器]

人形飾
戰國
河北平山縣三汲鄉中山國3號墓出土。
高3.1-4、寬1厘米。
三件。站立狀。圓臉，用細陰綫勾勒出眉、目和口。頭兩側各有一耳，頭上扎有一雙牛角狀髻，髮絲紋絡清晰。身着窄袖束腰花格長裙，右手在上、左手在下攏于腰部。爲當時白狄族女性形象。
現藏河北省文物研究所。

[玉 器]

人形飾
戰國
河北平山縣三汲鄉中山國3號墓出土。
高2.5-3、寬1.2厘米。
三件。其中右側的童子像較爲特殊，頭梳單髻，圓臉，用細陰綫刻劃出眉、目和口。雙手放于腰際，着窄袖束腰長裙，上衣平素，下裳布滿大方格紋，花、素相間，中填以網紋。
現藏河北省文物研究所。

春秋戰國（公元前七七〇年至公元前二二一年）

[玉 器]

春秋戰國（公元前七七〇年至公元前二二一年）

童子騎獸
戰國
河南洛陽市小屯村出土。
高2.5、寬1.8厘米。
作一小孩騎伏獸狀。
現藏中國國家博物館。

虎形飾
戰國
山西長治市分水嶺84號墓出土。
長2.7、寬1.7厘米。
虎作昂首伏臥狀。
現藏山西博物院。

[玉 器]

春秋戰國（公元前七七〇年至公元前二二一年）

馬形飾另一面

▍馬
戰國
山東曲阜市魯國故城出土。
高5.7厘米，底座長2.3、寬1.6厘米。
馬呈立姿，昂首豎耳，有底座。
現藏山東省曲阜市孔府文物檔案館。

▍鹿
戰國
湖北江陵縣雨臺山出土。
長5.9、高1.2厘米。
鹿作飛奔狀。刻陰綫表現鹿的胯和頸。
現藏湖北省文物考古研究所。

339

[玉 器]

春秋戰國（公元前七七〇年至公元前二二一年）

龍首形飾
戰國
山西長治市分水嶺126號墓出土。
長3.9、寬3.1厘米。
兩面雕，爲一長角龍首。
現藏山西博物院。

蟠螭紋版
戰國
河南洛陽市唐宮西路出土。
長10.2、寬5.7厘米。
減地浮雕，四格，每格飾一對蟠螭紋。背磨光。
現藏河南省洛陽市文物工作隊。

夔龍獸面紋版

戰國
河北平山縣七汲村中山國3號墓出土。
長14.8、寬12.5厘米。
長方形，左下角與右上角分別雕一夔龍，
左上角與右下角各雕一獸面。
現藏河北省文物研究所。

[玉器]

春秋戰國（公元前七七〇年至公元前二二一年）

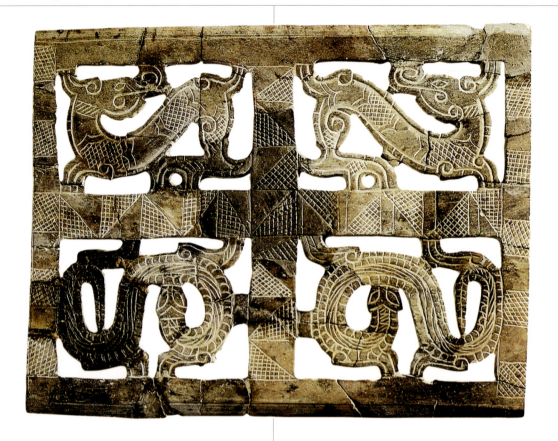

雙夔雙螭紋版
戰國
河北平山縣七汲村中山國3號墓出土。
長14.7、寬11.5厘米。
長方形。中間雕十字隔欄將玉版分爲四格，上兩格內雕夔龍紋，下兩格內雕螭紋。
現藏河北省文物研究所。

雙龍紋版
戰國
河北平山縣三汲鄉中山王墓出土。
長5、寬3.2厘米。
沿周邊雕刻一圈邊框。框內雕兩條交身龍。龍首寫實，長角彎曲，巨口利齒，頸有鬣毛，足下利爪，尾捲曲上揚。應爲棺槨上的飾物。
現藏河北省文物研究所。

[玉器]

蟠螭獸面紋版
戰國
河南洛陽市唐宮西路出土。
長15.5、寬2.5厘米。
長條形,正面四周有沿,沿上飾勾雲紋,中間被三條絢紋分成四格,交錯飾獸面紋和蟠螭紋,背面磨光。
現藏河南省洛陽市文物工作隊。

獸面紋鑿形飾
戰國
陝西西安市雁塔區沙坡漢墓出土。
長9.7、寬2厘米。
片狀,夔龍形,頭大尾尖,角爲一獸面。單面雕琢。
現藏陝西省西安市文物保護考古所。

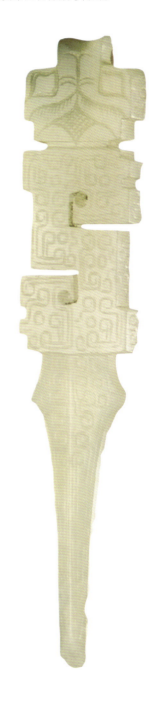

[玉 器]

工字形管銜環飾（右圖）
戰國
陝西西安市長安區韋曲戰國墓出土。
長5.2、寬3.1厘米。
雙管并列，中部相連，一管側有凸起方形橋鈕，鈕中有小活環。
現藏陝西省西安市文物保護考古所。

公賜鼎
戰國
河南洛陽市針織廠東周墓出土。
高10.4厘米。
口微斂，子口，無蓋。扁圓淺腹，圓底，三短柱足。腹上部鑲銅環一對，肩腹部各飾凸弦紋一周，肩腹部刻"公賜鼎"三字。
現藏河南省洛陽博物館。

【 玉 器 】

劍
戰國
湖北隨州市擂鼓墩曾侯乙墓出土。
長33.6、寬5.1厘米。
整器有劍首、莖、格、鞘、珌五部分組成，其間以金屬物連接。首爲透雕雙首共身龍形，并陰刻出龍的細部和鳥。格透雕單面雲紋，反面有一劍挂鈎。其餘三節皆素面。
現藏湖北省博物館。

獸面紋劍珌
戰國
山東淄博市臨淄區商王村2號墓出土。
長8.3、寬5-6.6厘米。
束腰梯形。表面飾左右對稱的淺浮雕獸面紋，四周陰刻輪廓綫。上端有一大兩小三個穿孔，下端飾淺浮雕捲雲紋。
現藏山東省淄博市博物館。

春秋戰國（公元前七七〇年至公元前二二一年）

[玉 器]

劍鞘
戰國
浙江杭州市半山區石塘鎮第13號墩2號墓出土。
長31.4、寬4.9厘米。
鞘由兩面扣合而成，每面圖案可分為六段，除一段光素外，均飾以成組的龍紋，輔以勾雲紋等。
現藏浙江省杭州歷史博物館。

"越王" 劍格
戰國
浙江杭州市半山區石塘鎮第24號墩1號墓出土。
上高1.6、寬4.8厘米，下高1.5、寬4.7厘米。
劍格雙面雕有紋飾，其中一面為陰刻獸面紋，深雕。另一面在"S"紋飾中刻有鳥篆文"越王王王"四字。
現藏浙江省杭州歷史博物館。

[玉器]

春秋戰國（公元前七七〇年至公元前二二一年）

雙鳳紋梳
戰國
河北平山縣三汲鄉中山王墓出土。
長4.9、寬4.6厘米。
梳柄中部透雕雙鳳，雙鳳曲體相對，回首反視。
柄外緣邊飾勾連雲紋和網紋。
現藏河北省文物研究所。

[玉　器]

蟠螭紋梳
戰國
河北平山縣三汲鄉中山王墓出土。
長6.5、寬3.8厘米。
柄及梳齒均較長，呈長方形。柄梳透雕，頂部圓弧，以細密的斜格紋爲襯底，上以陰綫飾"S"形紋。弧邊下飾捲雲紋，再下爲一身軀彎捲的一首雙螭。螭首左右各飾一捲雲紋。梳五齒，齒甚寬，上飾竪條紋。
現藏河北省文物研究所。

雲紋梳
戰國
湖北隨州市擂鼓墩曾侯乙墓出土。
長9.6、上寬6、下寬6.5厘米。
梳背雙面陰刻雲紋和斜綫紋。
現藏湖北省博物館。

[玉 器]

水晶杯
戰國
浙江杭州市半山區石塘鎮戰國墓出土。
高15.4厘米。
水晶質。素面無紋飾，器表經拋光處理，中部和底部有海綿體狀自然結晶。
現藏浙江省杭州歷史博物館。

春秋戰國（公元前七七〇年至公元前二二一年）

[玉 器]

春秋戰國（公元前七七〇年至公元前二二一年）

穀紋扉牙環
戰國
浙江長興縣鼻子山戰國墓出土。
直徑3.4厘米。
內外緣做出扉牙，兩面淺浮雕穀紋。
現藏浙江省長興縣博物館。

[玉 器]

男女人形飾（右圖）
秦
陝西西安市未央區大明宮鄉聯志村出土。
左玉人高7.5、寬1.5厘米，右玉人高7.4、寬1.4厘米。
兩玉人造型相仿，略呈長方形片狀。上部爲頭與上身的輪廓，以陰刻細綫勾勒頭髮、眉、眼、鼻和口等，腰部以細綫代表腰帶。一件上唇刻八字形鬍鬚，爲男性，另一件爲女性。
現藏陝西省西安市文物保護考古所。

雲紋鐵芯帶鉤
秦
河南泌陽縣官莊村出土。
長19厘米。
由套在鐵芯上的數截玉件構成，首尾皆爲龍頭，通體施雲紋。
現藏河南博物院。

秦至東漢（公元前二二一年至公元二二〇年）

[玉 器]

高足杯
秦

陝西西安市長安區劉村秦阿房宮遺址出土。
高14.5、口徑6.4、足徑4.5厘米。
青玉質。由杯體和杯座粘接而成，杯身呈桶形，杯座似豆形。杯身三道雙鉤弦紋將腹部紋飾分爲四層。杯座上部陰刻五個矩形框。
現藏陝西省西安市文物保護考古所。

雲紋劍珌
秦
湖北荊州市郢城鎮黃山村出土。
長5.4、寬4-5.2厘米。
青黃色，局部有深褐色沁。全器呈弧邊梯形，飾幾何形捲雲紋。
現藏湖北省荊州博物館。

雲紋劍璲
秦
湖南長沙市左家塘1號墓出土。
長6.3、寬3.1、高1.4厘米。
長方形，兩端內捲，面飾捲雲紋。
現藏湖南省博物館。

[玉 器]

秦至東漢（公元前二二一年至公元二二〇年）

雲紋燈（右圖）
秦
高12.8、燈盤徑10.2厘米。
燈由盤、把手和座三部分組成，器表飾勾連雲紋。
現藏故宮博物院。

雲紋戈
西漢
河南永城市芒山鎮僖山漢墓出土。
長11.3厘米。
青玉。援短胡長，中有脊，戈的援部除中脊及上下刃部為素面外，其餘飾勾連雲紋。內部及胡部為素面，其餘飾勾連雲紋。
現藏河南博物院。

[玉 器]

秦至東漢（公元前二二一年至公元二二〇年）

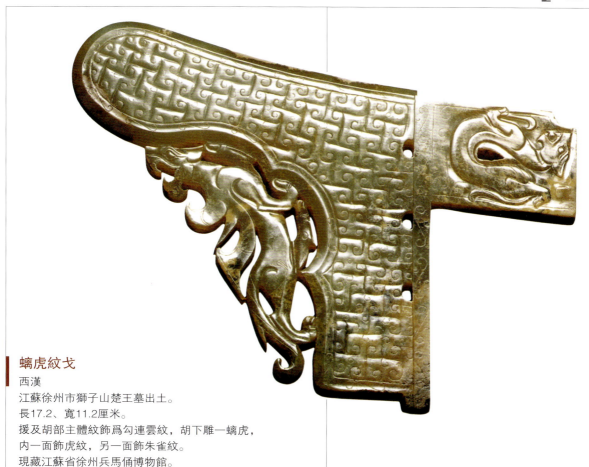

螭虎紋戈
西漢
江蘇徐州市獅子山楚王墓出土。
長17.2、寬11.2厘米。
援及胡部主體紋飾爲勾連雲紋，胡下雕一螭虎，
內一面飾虎紋，另一面飾朱雀紋。
現藏江蘇省徐州兵馬俑博物館。

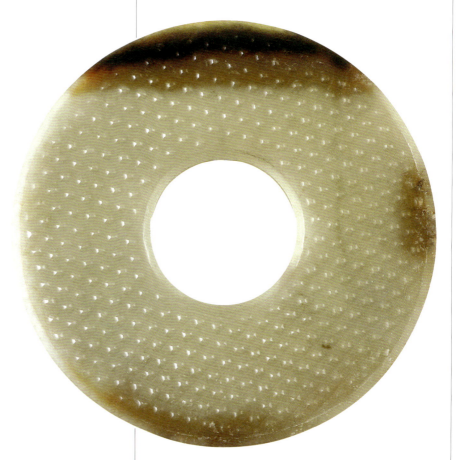

穀紋璧
西漢
江蘇徐州市獅子山楚王墓出土。
直徑14.2厘米。
璧的兩面均雕琢均勻分布的穀紋。
現藏江蘇省徐州博物館。

355

[玉器]

夔龍穀紋璧
西漢
江蘇徐州市獅子山楚王墓出土。
直徑22.5厘米。
璧用同心圓繩紋分爲內外兩區，內區爲穀紋，
外區爲夔龍紋。
現藏江蘇省徐州博物館。

【 玉 器 】

夔龍穀紋璧
西漢
河北滿城縣陵山2號墓出土。
直徑20.4厘米。
兩面紋飾相同。內區飾穀紋，外區飾夔龍紋。
現藏河北省博物館。

夔龍雲紋璧
西漢
陝西西安市棗園南嶺漢墓出土。
直徑21厘米。
兩面紋飾相同。以弦紋將璧面分爲內外兩區，內區飾捲云紋，外區飾夔龍紋。
現藏陝西省考古研究院。

秦至東漢（公元前二二一年至公元二二〇年）

357

[玉器]

夔龍穀紋璧
西漢
廣東廣州市象崗山南越王墓出土。
直徑26.7厘米。
以繩索紋將璧面紋飾分爲二區。內區飾穀紋，
外區飾合首雙身夔龍紋。
現藏廣東省廣州南越王墓博物館。

【 玉 器 】

夔龍穀紋璧
西漢
廣東廣州市象崗山南越王墓出土。
直徑33.4厘米。
紋飾分爲三區，中區飾穀紋，內區和外區同飾合首雙身的夔龍紋。
現藏廣東省廣州南越王墓博物館。

夔龍穀紋璧
西漢
湖北老河口市五座墳3號墓出土。
直徑19.5厘米。
紋飾兩周，內圈飾穀紋，外圈飾合首雙身夔龍紋。
現藏湖北省博物館。

[玉 器]

夔鳳紋璧
西漢
陝西西安市未央區三橋鎮漢墓出土。
直徑7厘米。
剔地雕，外沿與內邊有一凸起弦紋，內雕雙夔鳳，左右相對，均作回首狀。
現藏陝西省西安市文物保護考古所。

龍鳳穀紋璧
西漢
江蘇揚州市雙橋鄉宰莊漢墓出土。
直徑19.4厘米。
扁平圓形，器形規整，內外緣均出邊廓。紋飾分為兩區，內區飾細密的穀紋，外區飾三組同首異體雙龍紋和相對雙鳳紋。
現藏江蘇省揚州市博物館。

[玉 器]

雙龍鈕穀紋璧
西漢
河北滿城縣中山靖王劉勝墓出土。
高29.9、璧直徑13.4厘米。
兩面飾紋相同，上部鏤雕兩條張口、
尾向上高捲、側身相背的獨角螭龍。
現藏河北省博物館。

[玉 器]

團龍穀紋璧
西漢
廣東廣州市象崗山南越王墓出土。
直徑8.8厘米。
孔內透雕一團龍，璧面飾穀紋。
現藏廣東省廣州南越王墓博物館。

龍鳳紋璧
西漢
廣東廣州市象崗山南越王墓出土。
直徑7.6厘米。
外邊輪廓透雕二龍和二鳳，
相互纏繞。似未加工完畢。
現藏廣東省博物館。

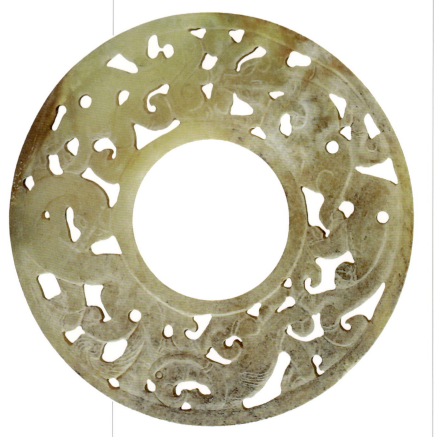

【 玉 器 】

雲浪紋璧
西漢
陝西西安市西漢竇氏墓出土。
直徑6.2厘米。
內外邊輪間透雕雲浪紋。
現藏陝西省西安市文物保護考古所。

三龍首穀紋套環璧
西漢
廣東廣州市象崗山南越王墓出土。
直徑9.6厘米。
璧面透雕爲子母環狀，內環雕三條合首雙身螭龍，口銜外環，外環飾穀紋。
現藏廣東省廣州南越王墓博物館。

[玉器]

秦至東漢（公元前二二一年至公元二二〇年）

三鳳穀紋璧
西漢
廣東廣州市象崗山南越王墓出土。
直徑5.7厘米。
璧兩面飾穀紋，外接三鏤雕鳳紋。
現藏廣東省廣州南越王墓博物館。

龍鳳穀紋璧
西漢
廣東廣州市象崗山南越王墓出土。
直徑7.2厘米。
璧面飾穀紋，孔中透雕一游龍，
廓外兩側各雕一鳳。
現藏廣東省廣州南越王墓博物館。

【玉器】

秦至東漢（公元前二二一年至公元二二〇年）

雙鳳穀紋套環璧
西漢
河北定州市出土。
直徑3.6厘米。
兩面飾紋相似。中間為雲紋小玉璧，外套穀紋大玉璧，璧外透雕對稱鳳鳥紋。
現藏河北省文物研究所。

穀紋雙連璧
西漢
廣東廣州市象崗山南越王墓出土。
直徑6.2厘米。
兩璧大小相同，璧面飾穀紋。兩璧相連處上飾捲雲紋，下飾鳳鳥紋。
現藏廣東省廣州南越王墓博物館。

365

[玉 器]

組佩

西漢
廣東廣州市象崗山南越王墓出土。
通長68厘米。
由璧、璜、玉人等飾件和用金、玉、玻璃、煤精加工的珠飾等三十二件不同質地的飾物組成，出土于墓主胸腹間的組玉璧之上。
現藏廣東省廣州南越王墓博物館。

[玉 器]

組佩
西漢
廣東廣州市象崗山南越王墓出土。
通長40厘米。
由玉璧、橢圓形玉片、龍首玉璜、花蕾形玉佩、韘形玉佩和另外兩件玉璜組成。
現藏廣東省廣州南越王墓博物館。

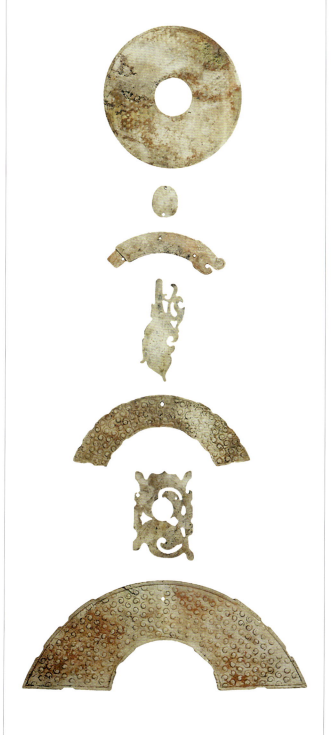

組佩
西漢
廣東廣州市象崗山南越王墓出土。
通長45厘米。
由環、璜、舞人和管等七件玉飾組成，為南越王右夫人隨葬品。
現藏廣東省廣州南越王墓博物館。

秦至東漢（公元前二二一年至公元二二〇年）

[玉器]

秦至東漢（公元前二二一年至公元二二〇年）

雙龍佩
西漢
河南永城市芒山鎮僖山漢墓出土。
長7.4厘米。
透雕聯體雙龍。龍回首張口，額上出尖角。
現藏河南博物院。

穀紋雙龍佩
西漢
廣東廣州市象崗山南越王墓出土。
長10.2、寬6厘米。
二龍連體，龍首正對，身飾穀紋。
現藏廣東省廣州南越王墓博物館。

368

穀紋雙龍佩

西漢
江蘇徐州市獅子山楚王墓出土。
長19.6厘米。
雙龍同體，龍身飾穀紋，
龍身上下側均飾雲紋。
現藏江蘇省徐州博物館。

[玉 器]

雲紋雙龍佩
西漢
安徽天長市三角圩漢墓群出土。
長6.9、寬3.8厘米。
扁平體，呈三角形。上部透雕一龍，下部一龍
張口銜住上龍的龍尾，首身曲折成"S"形。
龍身兩面單陰綫刻捲雲紋。
現藏安徽省天長市博物館。

鱗紋龍形佩
西漢
安徽巢湖市放王崗出土。
直徑4.7厘米。
龍首銜尾彎曲呈環形，龍身飾鱗紋。
現藏安徽省巢湖市博物館。

[玉器]

穀紋龍形佩
西漢
江蘇徐州市獅子山楚王墓出土。
長18、寬11.9厘米。
龍身"S"形，中部拱曲方正，有一繫穿用的孔。龍首回轉，張口露齒，身飾勾連雲紋，龍尾呈鳳尾形。現藏江蘇省徐州博物館。

秦至東漢（公元前二二一年至公元二二〇年）

[玉 器]

秦至東漢（公元前二二一年至公元二二〇年）

龍形佩（右圖）
西漢
江蘇盱眙縣東陽4號墓出土。
高4.7、寬2.8厘米。
透雕蜷曲團龍形，首尾相連，頭上出角。
龍身以陰綫刻劃裝飾，綫條優美。
現藏南京博物院。

雙龍紋佩
西漢
江蘇徐州市獅子山楚王陵出土。
長19.6、高6.2厘米。
通體爲兩條透雕的蟠曲龍，龍首均向外，
龍身後部相連。
現藏江蘇省徐州博物館。

[玉器]

秦至東漢（公元前二二一年至公元二二〇年）

鳳形佩
西漢
河南永城市芒山鎮僖山漢墓出土。
長5.4、寬2厘米。
鳳昂首展翅，作飛翔狀，尾殘。
現藏河南博物院。

龍鳳佩
西漢
安徽巢湖市北山頭漢墓出土。
長5.5、寬2.8厘米。
透雕臥姿龍鳳。龍作回首狀，口銜鳳翅，龍身與鳳身相纏繞。
現藏安徽省巢湖市博物館。

373

[玉器]

鳳鳥佩
西漢
陝西西安市西漢竇氏墓出土。
長4.5、寬1.8–3.5厘米。
一對。主體造型爲鳳鳥，高冠，尖喙回勾，長頸後仰。
現藏陝西省西安市文物保護考古所。

鳳蘭紋佩
西漢
安徽巢湖市北山頭漢墓出土。
高6.5、寬4.2厘米。
一對。主體鏤雕一站立回首鳳鳥，羽間雕蘭花一朵，鳥腹下飾勾雲紋。
現藏安徽省巢湖市博物館。

[玉器]

鳳紋佩
西漢
廣東廣州市象崗山南越王墓出土。
長14、寬7.4厘米。
當中爲一長方框,框內雕一鳳鳥。框上端及右側亦各相連一鳳鳥,右側鳳鳥下接一璧。方框左側飾流蘇,流蘇下連一花蕾。方框下接一龍。現藏廣東省廣州南越王墓博物館。

秦至東漢(公元前二二一年至公元二二〇年)

375

[玉 器]

秦至東漢（公元前二二一年至公元二二○年）

鳳鳥形飾
西漢
河北滿城縣中山靖王劉勝墓出土。
長4.2、寬2.5厘米。
鳳鳥昂首飛翔，嘴銜捲身小蟲。
現藏河北省博物館。

飾鳳花蕾鳥形佩（右圖）
西漢
廣東廣州市象崗山南越王墓出土。
長6.3、寬2.2厘米。
形如下垂花蕾，上飾勾連雲紋，
花蕾上側透雕一鳳鳥。
現藏廣東省廣州南越王墓博物館。

[玉器]

人形佩
西漢
安徽渦陽縣石弓山崖墓出土。
高5.8、寬3.4厘米。
青玉。頭戴角狀斜冠,身着廣袖長袍,飾菱形紋。
現藏安徽省阜陽市博物館。

人形佩背面

秦至東漢(公元前二二一年至公元二二〇年)

377

[玉 器]

秦至東漢（公元前二二一年至公元二二〇年）

螭虎環形佩
西漢
北京豐臺區大葆臺2號漢墓出土。
長8.9厘米。
圓形上部鏤雕成櫻花，中間鏤雕一盤曲的螭虎。
現藏北京大葆臺西漢墓博物館。

螭虎紋佩（右圖）
西漢
江蘇徐州市北洞山楚王墓出土。
長5.2、寬3.8厘米。
通體以透雕、圓雕、淺浮雕和陰綫刻紋等手法琢飾六條形態各异、宛轉盤曲的螭虎紋。
現藏江蘇省徐州博物館。

虎形佩
西漢
廣東廣州市西村鳳凰崗出土。
長7.1、寬2.3厘米。
扁平體,透雕連體三虎,兩面相同。一虎頭向外側,四足着地,形體較大。另一側爲兩隻小虎,頭臉相對,後足着地,前足抬起,相互抵撑,作嬉戲狀。兩面陰刻細綫捲雲紋。
現藏廣東省廣州市文物考古研究所。

犀形佩
西漢
廣東廣州市象崗山南越王墓出土。
長8.5、高4厘米。
犀呈伏卧狀,躬身低頭,長尾回捲。
現藏廣東省廣州南越王墓博物館。

【玉器】

秦至東漢（公元前二二一年至公元二二〇年）

雙虎紋韘形佩
西漢
安徽巢湖市放王崗出土。
長4.2、寬3.9厘米。
兩側各鏤一虎。
現藏安徽省巢湖市博物館。

龍鳳紋韘形佩
西漢
江蘇寶應縣西漢墓出土。
長6.2、寬5.5厘米。
兩側鏤雕一龍一鳳。佩身下部浮雕一龍，龍身有翼。佩身背面紋飾大致相同。
現藏江蘇省寶應縣博物館。

380

[玉器]

秦至東漢（公元前二二一年至公元二二〇年）

雙猴紋韘形佩
西漢
陝西西安市西漢竇氏墓出土。
長4、寬4.1厘米。
左右刻出猴子，形態生動。
現藏陝西省西安市文物保護考古所。

螭虎羽人鳳鳥紋韘形佩
西漢
陝西西安市新城區動物園出土。
長7.1、寬4.6厘米。
佩呈扁體雞心形。一螭虎由背向前翻墻而過。佩右上角有一羽人跽坐于仙山之中，左上角一鳳鳥展翅回首，下部兩側飾出廓雲紋。
現藏陝西省西安市文物保護考古所。

381

[玉 器]

雲紋韘形佩
西漢
陝西西安市未央區范南村陳請士墓出土。
長7.1、寬4厘米。
佩主體呈雞心形，中有一圓孔。輪廓處飾捲雲紋。
現藏陝西省西安市文物保護考古所。

韘形佩另一面

雲紋韘形佩
西漢
河北滿城縣中山靖王劉勝墓出土。
長10、寬4.1厘米。
主體略呈橢圓形，上端中間起脊，中部有一圓孔。
現藏河北省博物館。

雲紋韘形佩
西漢
河南永城市芒山鎮僖山漢墓出土。
長9.5、寬2.7厘米。
爲扁平橢圓形。中間有一圓孔。一端出尖。
表面飾勾連雲紋，兩側飾透雕捲雲紋。
現藏河南博物院。

【 玉 器 】

鳳紋韘形佩
西漢
河北定州市出土。
長8、寬3.5厘米。
主體呈橢圓形,上部凸出一尖。中有一孔。
外側透雕鳳鳥紋。
現藏河北省文物研究所。

螭鳳紋韘形佩
西漢
江蘇揚州市邗江區甘泉鎮"妾莫書"西漢墓出土。
長7.3、寬1.7厘米。
雙面琢刻,一面凸起,一面内凹。一端為螭虎,
一端為鳳頭。器身中部一大孔,四角四小孔。
現藏江蘇省揚州博物館。

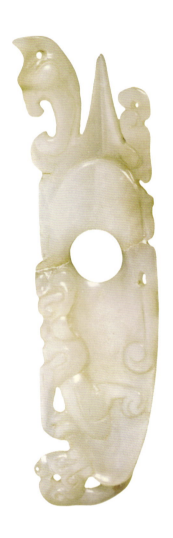

龍鳳紋鞢形佩
西漢
江蘇徐州市北洞山楚王墓出土。
長7.1、寬4.3厘米。
鷄心形。雙面雕，一面凸起，一面內凹，分別雕一龍一鳳。
現藏江蘇省徐州博物館。

穀紋璇璣
西漢
安徽天長市三角圩漢墓群出土。
直徑9厘米。
扁平圓形，內厚邊薄，斷面呈楔形。兩側外緣出脊，內外有廓，內飾穀紋。璧外緣側最厚處刻"上十二"銘文。兩面紋飾相同。
現藏安徽省天長市博物館。

[玉器]

雲紋雙龍首璜
西漢
安徽巢湖市北山頭漢墓出土。
長17.7、寬2.7厘米。
兩端爲龍首，龍身飾勾連渦雲紋，兩面紋飾相同。
現藏安徽省巢湖市博物館。

穀紋雙龍首璜
西漢
江蘇銅山縣小龜山漢墓出土。
長11.3、寬1.7–1.9厘米。
兩端爲龍首，龍身飾穀紋，兩面紋飾相同。
現藏南京博物院。

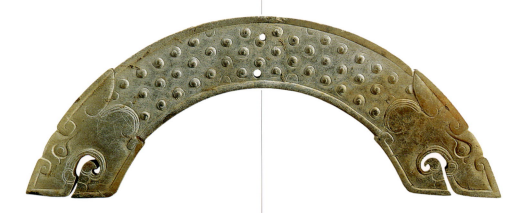

【 玉 器 】

蒲紋雙龍首璜
西漢
廣東廣州市象崗山南越王墓出土。
長14.2、寬5.6厘米。
兩端爲龍首，龍身飾蒲紋，身側透雕雲紋。
現藏廣東省廣州南越王墓博物館。

龍鳳紋璜
西漢
江蘇徐州市獅子山楚王墓出土。
長21.1、寬4.2厘米。
璜體上下兩側和兩端皆減緣形成牙槽。玉璜兩面紋飾相同，每面以穿孔爲中心，中間爲一獸面紋，兩側各雕一龍，龍首與龍身間刻一回首鳳鳥。龍身外各雕四條相互蟠繞之龍。
現藏江蘇省徐州博物館。

[玉器]

雲紋環
西漢
安徽天長市三角圩漢墓群出土。
直徑4.9厘米。
器呈圓環形,斷面爲橢圓形。環內外緣陰刻一圈廓綫,兩面通體雕琢勾連雲紋。
現藏安徽省天長市博物館。

雲紋環
西漢
湖北荊州市郢城鎮瓦墳園出土。
直徑6.5厘米。
器身陰刻相連的雲紋,綫條十分流暢,每兩個雲紋之間飾以網格紋。
現藏湖北省荊州博物館。

【 玉 器 】

神獸紋環
西漢
安徽巢湖市北山頭漢墓出土。
直徑10厘米。
兩面隱起神獸紋。
現藏安徽省巢湖市博物館。

龍形環
西漢
河北定州市出土。
直徑7厘米。
夔龍首尾相接爲環，環身陰綫刻
雲紋及鱗紋，兩面紋飾相同。
現藏河北省文物研究所。

[玉 器]

秦至東漢（公元前二二一年至公元二二〇年）

龍形環
西漢
安徽天長市三角圩漢墓群出土。
直徑4.6厘米。
龍首銜尾，彎曲呈環狀。
現藏安徽省天長市博物館。

龍鳳紋環
西漢
江蘇徐州市石橋村漢楚王墓出土。
直徑7.9厘米。
鏤空雕雲氣紋中的龍、鳳及怪獸。
現藏江蘇省徐州兵馬俑博物館。

[玉 器]

龍紋環
西漢
廣東廣州市象崗山南越王墓出土。
直徑9厘米。
由透雕的二龍與二螭繞成一圈。
現藏廣東省廣州南越王墓博物館。

秦至東漢（公元前二二一年至公元二二〇年）

[玉 器]

龍紋環
西漢
廣東廣州市象崗山南越王墓出土。
直徑7.4厘米。
雙面透雕三條龍，首尾銜接成圓環。
現藏廣東省廣州南越王墓博物館。

龍鳳紋環
西漢
湖南長沙市咸家湖陡壁山1號墓出土。
直徑8.5厘米。
透雕盤繞的團形龍鳳，四周環以雲氣紋。
現藏湖南省長沙市博物館。

[玉 器]

龍鳳紋套環
西漢
廣東廣州市象崗山南越王墓出土。
直徑10.6厘米。
鏤空成一龍一鳳形，由內外兩個圓環相連接。
龍口中銜一條魚。
現藏廣東省廣州南越王墓博物館。

秦至東漢（公元前二二一年至公元二二〇年）

[玉器]

秦至東漢（公元前二二一年至公元二二〇年）

穀紋環
西漢
江蘇銅山縣小龜山漢墓出土。
直徑19.7厘米。
環面飾均勻分布的穀紋，
兩面紋飾相同。
現藏南京博物院。

獸紋環
西漢
陝西西安市西漢竇氏墓出土。
直徑8.8厘米。
兩面透雕，同雕二猴、二熊，每一動物外側及兩動物間飾捲雲紋。
現藏陝西省西安市文物保護考古所。

[玉器]

秦至東漢（公元前二二一年至公元二二〇年）

四神紋環
西漢
直徑10.2厘米。
兩面紋飾相同，以淺浮雕加刻陰綫飾青龍、白虎、朱雀及玄武四神。
現藏故宮博物院。

絢紋套環
西漢
江蘇阜寧縣新溝合興村出土。
直徑5.5厘米。
以鏤空和起突等工藝，雕成帶結的絞索狀雙重環。
現藏南京博物院。

[玉器]

秦至東漢（公元前二二一年至公元二二〇年）

鳳鳥形觽
西漢
安徽巢湖市北山頭漢墓出土。
長8.9、寬2.8厘米。
器扁平，鏤雕一鳳鳥，頸部有一穿孔。
現藏安徽省巢湖市博物館。

鳥形觽
西漢
安徽巢湖市北山頭漢墓出土。
長4.7、寬2厘米。
器扁平，呈鳥形，有穿孔。
現藏安徽省巢湖市博物館。

[玉器]

秦至東漢（公元前二二一年至公元二二〇年）

穀紋龍形觿
西漢
江蘇銅山縣小龜山漢墓出土。
長11.2、寬2.9厘米。
龍身飾勾連雲紋，龍脊透雕螭龍、鳳鳥和怪獸紋。兩面紋飾相同。
現藏南京博物院。

穀紋龍形觿
西漢
江蘇徐州市獅子山漢楚王墓出土。
長14.3厘米。
龍頭碩大，龍身飾穀紋，身下透雕一條游龍和雲紋。
現藏江蘇省徐州兵馬俑博物館。

[玉器]

雲紋龍形觿
西漢
廣東廣州市象崗山南越王墓出土。
長9.6、寬1.8厘米。
器形扁薄，龍形，兩面紋飾基本相同。
現藏廣東省廣州南越王墓博物館。

龍形觿
西漢
廣東廣州市象崗山南越王墓出土。
長7.2、寬1.1厘米。
龍形，軀體陰刻雲紋。
現藏廣東省廣州南越王墓博物館。

[玉器]

秦至東漢（公元前二二一年至公元二二〇年）

龍形觽
西漢
陝西西安市西漢竇氏墓出土。
長11、寬2.7厘米。
龍張嘴齜牙，有角和鬣，四肢蜷曲，尾尖長。
現藏陝西省西安市文物保護考古所。

鳳形觽
西漢
陝西西安市新城區動物園出土。
長10、寬1.2厘米。
兩件形制大小相同，均爲鳳鳥紋，其中一件頭部殘。
現藏陝西省西安市文物保護考古所。

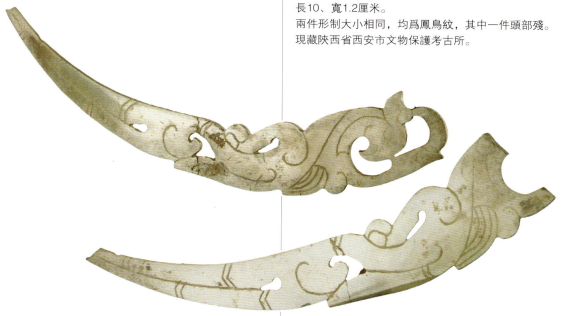

399

[玉 器]

秦至東漢（公元前二二一年至公元二二〇年）

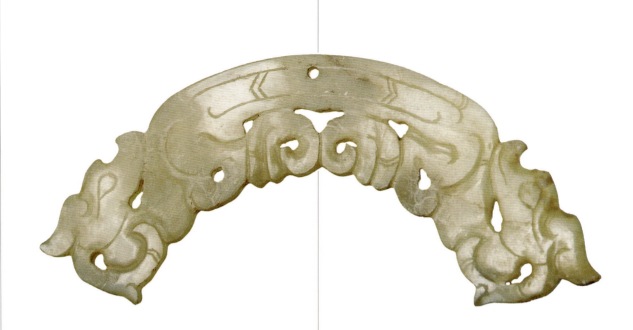

雙龍珩
西漢
陝西西安市西漢竇氏墓出土。
長10、寬2.1厘米。
兩端龍首作回首狀。上部正中有一孔。
現藏陝西省西安市文物保護考古所。

雙龍珩
西漢
陝西西安市西漢竇氏墓出土。
長7、寬1.8厘米。
兩端雕龍首，龍頸部飾繩索紋。
現藏陝西省西安市文物保護考古所。

400

[玉 器]

秦至東漢（公元前二二一年至公元二二〇年）

夔鳳珩
西漢
陝西西安市未央區三橋鎮漢墓出土。
長9.9、寬4厘米。
片狀，夔鳳作展翅欲翔狀，尾部分二部展開，以陰刻細綫勾勒。通體呈璜形，體中有一孔。
現藏陝西省西安市文物保護考古所。

龍形帶鈎
西漢
廣東廣州市象崗山南越王墓出土。
長15、寬0.8厘米。
鈎頭爲龍首，身飾勾雲紋。兩件大小形制一樣。
現藏廣東省廣州南越王墓博物館。

401

[玉器]

秦至東漢（公元前二二一年至公元二二〇年）

玉龍金虎形帶鈎
西漢
廣東廣州市象崗山南越王墓出土。
通長14.4、龍長11.5、寬1.6厘米。
由一條玉龍與一虎頭形金鈎組成。龍呈"S"形，龍身飾穀紋。
現藏廣東省廣州南越王墓博物館。

[玉 器]

秦至東漢（公元前二二一年至公元二二〇年）

龍首帶鉤
西漢
河北邢臺市北陳村漢墓出土。
長16.2、寬1.4厘米。
龍首，身附兩夔龍，陰刻捲雲紋。
現藏河北省文物考古研究所。

獸首帶鉤
西漢
安徽巢湖市放王崗出土。
長11.7、寬1.2厘米。
圓雕而成。獸首，鉤身有三道凹弧綫。
現藏安徽省巢湖市博物館。

403

[玉 器]

秦至東漢（公元前二二一年至公元二二〇年）

雙獸首帶鉤
西漢
安徽巢湖市北山頭漢墓出土。
長14.7、寬3.4厘米。
兩端爲獸首，背飾捲雲紋，腹下圓鈕上陰刻符號"中二"。身兩側浮雕螭虎各一，構思巧妙，工藝精湛。
現藏安徽省巢湖市博物館。

雙獸首帶鉤
西漢
安徽巢湖市北山頭漢墓出土。
長17.8、寬1.4厘米。
兩端獸首，身飾捲雲紋，腹下爲一圓形鈕。
現藏安徽省巢湖市博物館。

[玉 器]

秦至東漢（公元前二二一年至公元二二〇年）

飾虎獸首帶鈎
西漢
河北滿城縣中山靖王劉勝墓出土。
長5.8厘米。
首為獸頭，身上飾一帶翼螭虎。
現藏河北省博物館。

龍虎戲環帶鈎
西漢
廣東廣州市象崗山南越王墓出土。
長18.9、寬6.2厘米。
鈎體扁形，鈎首雕作虎頭，鈎尾雕成龍首，
虎龍雙體並列，背面平素。
現藏廣東省廣州南越王墓博物館。

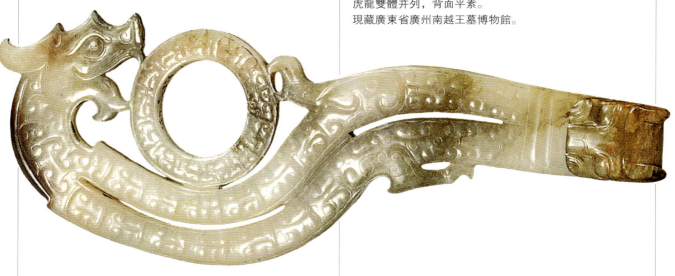

405

[玉 器]

龍虎合體帶鈎
西漢
廣東廣州市象崗山南越王墓出土。
長19.5、寬1.6厘米。
龍虎合體，鈎尾爲虎頭，鈎首爲龍頭。
現藏廣東省廣州南越王墓博物館。

[玉器]

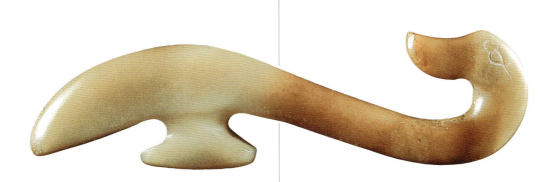

螭首帶鉤
西漢
江蘇銅山縣小龜山西漢墓出土。
長6.2厘米。
短螭首鉤頭，修長的鉤腹，內縮的鉤扣。
現藏南京博物院。

獸首帶鉤
西漢
江蘇銅山縣小龜山西漢墓出土。
長4.4厘米。
形如一站立回首顧盼的動物。鉤首作獸頭形，鉤身較短，中間起伏，三叉尾。橢圓形扣鈕。
現藏南京博物院。

[玉 器]

鴨首帶鉤鈕面

鴨首帶鉤
西漢
安徽天長市三角圩漢墓群出土。
長7、寬1.1厘米。
鉤頭作鴨首狀，鉤身作"S"形，陰刻短平行斜綫紋、雲氣紋和網格紋。背面橢圓形鈕，鈕柱較高，鈕面陰刻渦紋。
現藏安徽省天長市博物館。

龍首弦紋帶鉤
西漢
陝西西安市未央區六村堡西梁果村漢建章宮遺址出土。
長20、寬3厘米。
鉤由七節帶穿孔玉件以一根鐵芯串接而成。鉤頭爲龍首形，口緊閉，嘴角髯鬚由下前曲向上，兩個渦紋表示鼻孔，菱形眼，耳後抿，雙角爲牛形。頸部兩側飾細陰綫刻變形勾連雲紋，鉤身飾凹弦紋。
現藏陝西省西安市文物保護考古所。

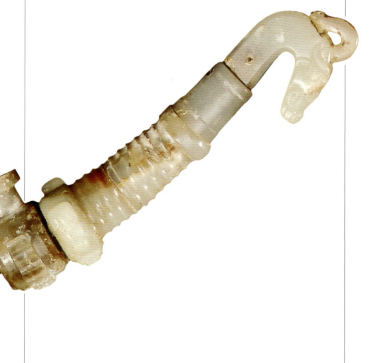

嵌玉鎏金銅帶銙
西漢
江蘇揚州市邗江區甘泉鎮"妾莫書"西漢墓出土。
長8.7、寬3.8厘米。
銅帶銙有邊框,框內模鑄蟠龍,板內嵌經過精雕細刻的龍鳳紋黃玉片。
現藏江蘇省揚州博物館。

獸首柄形器
西漢
安徽巢湖市北山頭漢墓出土。
長5.7、寬2厘米。
分首、頸、身三段,中空。兩件形制相同。
現藏安徽省巢湖市博物館。

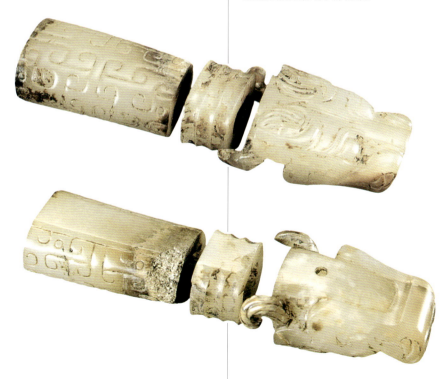

[玉 器]

秦至東漢（公元前二二一年至公元二二〇年）

舞人串飾
西漢
河北滿城縣中山靖王劉勝妻竇綰墓出土。
舞人高2.5厘米。
由玉、水晶、瑪瑙珠串連而成。下連一舞人墜飾。
現藏河北省博物館。

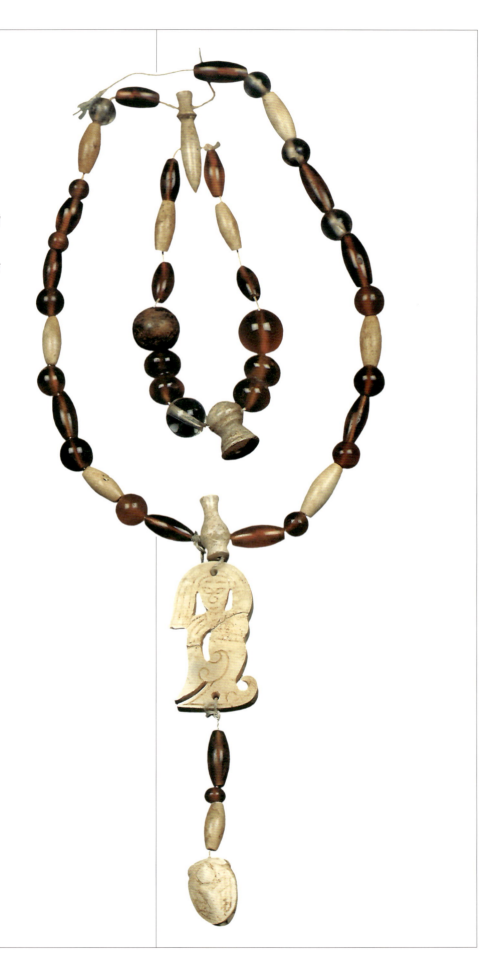

[玉 器]

雲紋笄（右圖）
西漢
河北滿城縣中山靖王劉勝墓出土。
殘長19.3、寬1.5厘米。
笄尾鏤刻爲捲雲。
現藏河北省博物館。

寬邊鐲
西漢
雲南江川縣李家山47號墓出土。
直徑20.6厘米。
爲玉璧形。內孔沿起一唇邊，璧面有天然花紋。
現藏雲南省江川縣李家山考古工作站。

秦至東漢（公元前二二一年至公元二二〇年）

411

[玉 器]

金縷玉衣
西漢
河北滿城縣中山靖王劉勝妻竇綰墓出土。
長172厘米。
青玉片，金絲編繫。
現藏河北省博物館。

[玉器]

秦至東漢（公元前二二一年至公元二二〇年）

[玉器]

絲縷玉衣
西漢
廣東廣州市象崗山南越王墓出土。
長173厘米。
由頭套、衣身、袖筒、手套、褲筒和鞋組成，共用二千二百九十一塊玉片，以朱紅色的絲帶、絲綫編綴而成。
現藏廣東省廣州南越王墓博物館。

[玉器]

秦至東漢（公元前二二一年至公元二二〇年）

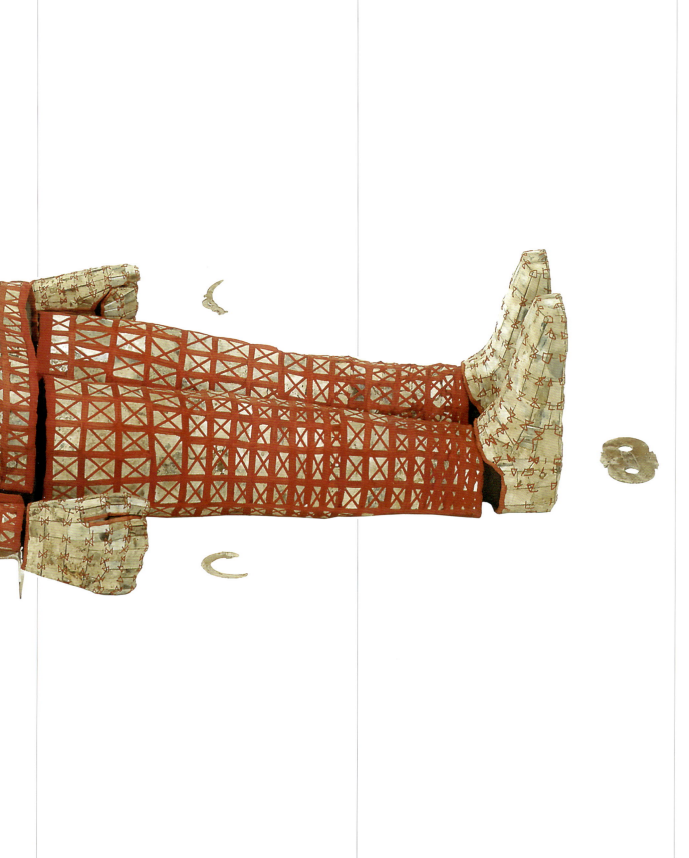

415

[玉 器]

覆面
西漢
山東濟南市長清區雙乳山濟北王墓出土。
長20、寬23厘米。
由額、頤、腮、頰、頜、耳十七塊玉片和鼻罩組合而成臉形。各玉片內側下棱和鼻罩邊緣處斜穿細微孔，鼻罩雕雲雷紋。
現藏山東省濟南市長清區博物館。

[玉 器]

秦至東漢（公元前二二一年至公元二二〇年）

龍紋枕
西漢
江蘇徐州市獅子山楚王陵出土。
長41.7、寬7.8、高9.5厘米。
呈板凳狀，枕板是用漆將玉片貼在木頭上製成，兩端分別用一塊整玉雕成的兩足支撐。枕板兩端有獸頭狀玉飾，枕面貼有盤身龍形玉、長方形玉及形制複雜的玉片等，其側面則有長方形玉和橢圓形玉等。
現藏江蘇省徐州博物館。

鑲玉銅枕
西漢
河北滿城縣中山靖王劉勝墓出土。
長44.1、寬8.1、高17.6厘米。
枕壁內鑲玉，玉面陰刻龍紋。
現藏河北省博物館。

417

[玉 器]

秦至東漢（公元前二二一年至公元二二〇年）

獸紋枕
西漢
山東濟南市長清區雙乳山1號墓出土。
長42.1、寬7.5、高10.4厘米。
由九件玉片、三件玉版、二件玉虎和竹板組合而成。
玉版、玉虎頭上端有鑽孔，玉片飾獸紋。
現藏山東省濟南市長清區博物館。

猪形握
西漢
山東巨野縣紅土山漢墓出土。
長12、寬2、高2.6厘米。
爲一對，造型相同，應爲放于死者手中的握手。
現藏山東省巨野縣文物管理所。

418

[玉 器]

秦至東漢（公元前二二一年至公元二二〇年）

猪形握
西漢
山西太原市尖草坪漢墓出土。
高3.2、長9.5厘米。
整體呈卧猪形。
現藏山西博物院。

猪形握
西漢
山東濟南市長清區雙乳山1號墓出土。
右握長10.4、寬2、高2.8厘米，左握長10.4、寬2、高2.6厘米。
一對。綫條簡潔流暢，整體爲一卧猪形象。
現藏山東省濟南市長清區博物館。

419

[玉 器]

猪形握
西漢
陝西西安市雁塔區山門口村漢墓出土。
高5、長13.5厘米。
玉豬一對，造型相同。鼻端平，鼻梁刻三道弦紋，和鼻下一道斜弧綫勾畫出似有笑意的嘴巴。
現藏陝西省西安市文物保護考古所。

蟬（右圖）
西漢
江蘇盱眙縣東陽4號墓出土。
長4.7厘米。
正反兩面均以陰綫刻飾。
現藏南京博物院。

[玉 器]

秦至東漢（公元前二二一年至公元二二〇年）

蟬
西漢
江蘇徐州市獅子山西漢楚王陵出土。
長4.2、寬1.8厘米。
刻劃逼真。雙目凸出，尾梢上翹，羽翼清晰。
現藏江蘇省徐州兵馬俑博物館。

蟬
西漢
江蘇揚州市邗江區甘泉鎮姚莊西漢墓出土。
長5.7、寬2.9厘米。
弧綫形的蟬翼覆蓋蟬身，腹部刻有十二道內凹的橫紋。爲口唅。
現藏江蘇省揚州博物館。

421

[玉 器]

坐人飾
西漢
河北滿城縣中山靖王劉勝墓出土。
高5.4厘米。
玉人束髮戴小冠，身穿右衽長衣，憑几而坐。
現藏河北省文物研究所。

舞人飾
西漢
廣東廣州市象崗山南越王墓出土。
高3.5、寬3.5厘米。
舞女扭腰合膝，呈跪姿，一手上揚，一手下甩，作長袖曼舞狀。
現藏廣東省廣州南越王墓博物館。

【 玉 器 】

舞人飾
西漢
河南永城市芒山鎮僖山漢墓出土。
高4.6、寬2.5厘米。
雙面透雕成舞人形象，以陰綫刻出面部表情及服飾細部。
現藏河南博物院。

舞人飾
西漢
北京豐臺區大葆臺2號墓出土。
高5.2、寬2.6厘米。
舞人身着長袖拖地裙，右臂上揚，長袖過頭，左臂觸腰，長袖飄逸身側，作翩翩起舞狀。
現藏北京大葆臺西漢墓博物館。

秦至東漢（公元前二二一年至公元二二〇年）

423

[玉 器]

舞人飾
西漢
廣東廣州市西村鳳凰崗出土。
高6.9厘米。
舞女面目清秀，頭盤髮髻，身着長裙，揚手扭腰，作舞蹈狀。
現藏廣東省廣州市文物考古研究所。

舞人飾背面

舞人飾
西漢

河南永城市芒山鎮僖山漢墓出土。
左高4.6、寬2.5厘米,右高4.6、寬2.5厘米。
扁平狀,透雕。兩件形制紋飾相同。舞人身着交領
長袖衣,一臂上揚,另一臂下垂,作舞蹈狀。
現藏河南博物院。

[玉 器]

舞人飾
西漢
安徽淮南市唐山鎮九里村1號墓出土。
高5.8、寬1.5厘米。
身著細長袖上下飄舞，左手過頂，上鑽一孔。體飾陰刻捲雲紋。兩面紋飾相同。
現藏安徽省淮南市博物館。

舞人飾
西漢
江西南昌市永和村畜牧場漢墓出土。
高5.2、寬1.6厘米。
透雕。體扁平，呈站立狀舞女形象。身穿交領長袍，一手垂袖于腰間，一手甩袖過頭頂，長裙拖地，腰間繫寬帶。
現藏江西省博物館。

舞人飾

西漢

陝西西安市三橋鎮漢墓出土。
高4.4、寬2.2厘米。
呈扁平狀。兩件玉人形象服飾相同，身着交襟長袖細腰寬下擺之舞服，腰繫帶。兩件舞女舞姿相仿，方向相反，均爲一臂高舉，甩長袖過頭下延至另一側，另一臂下垂，長袖分叉且回捲。
現藏陝西省西安市文物商店。

[玉 器]

舞人飾
西漢
陝西西安市新城區動物園出土。
高4.5、寬2.1厘米。
體呈"S"形,一手上揚,一手下甩,作舞蹈狀。
現藏陝西省西安市文物保護考古所。

俑頭
西漢
陝西咸陽市周陵鄉新莊村漢元帝渭陵建築遺址出土。
高8.5、寬4厘米。
圓雕,玉俑頭戴冠,長眼直鼻,嘴巴微啓,雙耳較大,腦後髮絲精雕細刻,脖子下端有斷茬。冠頂有一可插髮簪的穿孔,通體拋磨光亮。
現藏陝西省咸陽博物館。

人形飾
西漢
陝西西安市西漢竇氏墓出土。
高5、寬1.5-1.6厘米。
兩件基本一樣。矮冠，披髮，雙手拱于胸前，身後垂一雲狀飾。
現藏陝西省西安市文物保護考古所。

[玉 器]

仙人騎馬
西漢
陝西咸陽市漢昭帝平陵遺址出土。
高7、長8.9厘米。
圓雕而成，底座上下刻捲雲紋。
現藏陝西省咸陽博物館。

仙人騎馬底座背面

[玉 器]

穀紋龍形飾

西漢

江蘇徐州市獅子山楚王陵出土。
高17.5、寬10.2厘米。
龍作曲身的大"S"形,頭頂有歧尾的角飾,
下巴飾有雙鬚髯。
現藏江蘇省徐州博物館。

秦至東漢(公元前二二一年至公元二二〇年)

431

[玉 器]

辟邪
西漢
陝西咸陽市周陵鄉新莊村漢元帝渭陵建築遺址出土。
高2.5、長5.8厘米。
圓雕而成。辟邪呈臥姿，昂首前視，張口露齒，胸肌上雕"人"字形長髯，肩生雙翼。
現藏陝西省咸陽博物館。

熊
西漢
陝西咸陽市周陵鄉新莊村漢元帝渭陵建築遺址出土。
高4.8、長8厘米。
熊圓頭圓眼，長吻短尾，雙耳後抿，呈緩慢行走狀。
現藏陝西省咸陽博物館。

[玉 器]

秦至東漢（公元前二二一年至公元二二〇年）

熊
西漢
江蘇徐州市北洞山楚王墓出土。
長20.3、高6.6厘米。
熊伏臥狀，頸戴項圈。
現藏江蘇徐州博物館。

[玉 器]

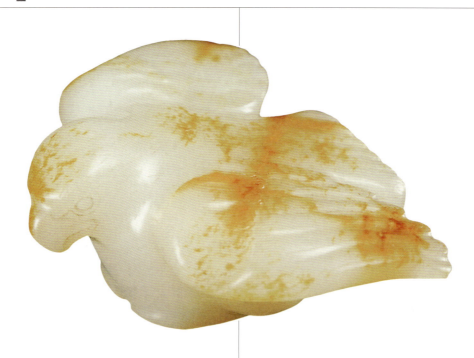

鹰
西漢
陝西咸陽市周陵鄉新莊村漢元帝渭陵建築遺址出土。
長7、寬5厘米。
鷹圓眼勾喙，雙爪并攏收于腹下，作展翅飛翔狀。
現藏陝西省咸陽博物館。

牛
西漢
陝西蒲城縣賈曲鄉漢代遺址出土。
長10、寬7、高7厘米。
牛呈臥姿，雙目圓睜，鼻孔歙張，口微張，神情安祥。
現藏陝西歷史博物館。

【 玉 器 】

秦至東漢（公元前二二一年至公元二二〇年）

辟邪
西漢
陝西咸陽市周陵鄉新莊村漢元帝渭陵建築遺址出土。
長7、高5.4厘米。
辟邪呈匍匐狀，雙目圓睜，張口露齒，雙耳豎起，頭頂雕一歧角。
現藏陝西省咸陽博物館。

獬豸
西漢
陝西西安市未央區三橋鎮漢墓出土。
長4.5、高3.7厘米。
圓雕。前一腿跪，其餘三腿曲卧，昂首挺胸，頭頂直立一直角，雙耳豎立，雙翼及羽毛以陰刻細綫勾勒。
現藏陝西省西安市文物保護考古所。

435

[玉 器]

秦至東漢（公元前二二一年至公元二二〇年）

獸首
西漢
江蘇徐州市獅子山楚王墓出土。
高5.8、寬5.4-11.5厘米。
瑞獸闊鼻、大口、長眉，雙目圓睜，眼球中央淺浮雕出一圓孔代表瞳孔，捲曲的雙角從兩耳後繞出，額部有高浮雕的冠狀飾。
現藏江蘇省徐州博物館。

龍紋長方形飾
西漢
湖南長沙市咸家湖墓出土。
長8.8、寬4.4厘米。
長方形框內透雕龍紋。龍昂首張嘴，鬃鬣捲曲。四足，每足三趾，一足前伸，一足後蹬，餘兩足按地，作行立騰飛狀。
現藏湖南省長沙市博物館。

【 玉 器 】

梯形飾
西漢
江蘇徐州市獅子山楚王墓出土。
高21.5厘米。
梯形框上端透雕龍首,龍身蜷曲于框內。框上部和側部雕飾捲雲紋。框下部有插榫。
現藏江蘇省徐州博物館。

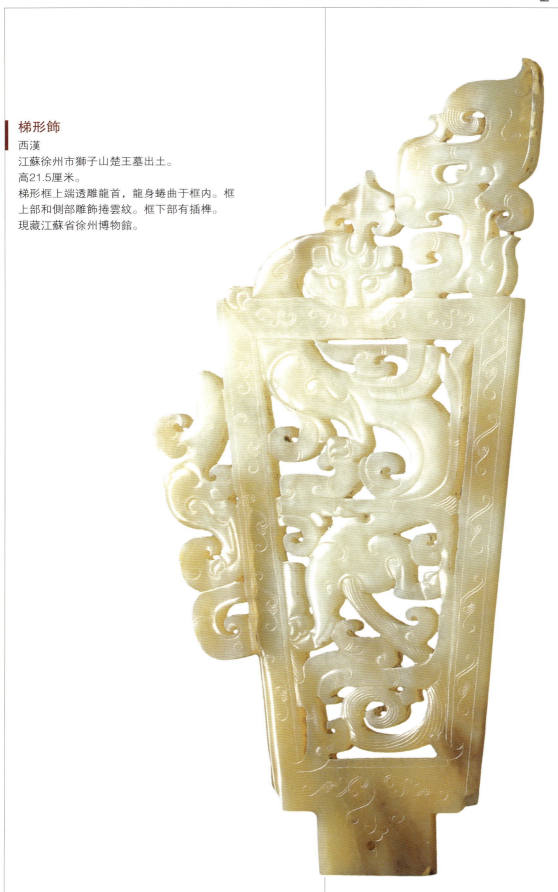

秦至東漢(公元前二二一年至公元二二〇年)

437

[玉 器]

秦至東漢（公元前二二一年至公元二二〇年）

包金鑲玉飾
西漢
河南三門峽市上村嶺出土。
直徑8厘米。
青銅質，鎏金，其上鑲有六塊玉片，分刻捲雲紋和獸面紋。
現藏河南博物院。

動物紋嵌飾
西漢
湖南長沙市象鼻嘴1號墓出土。
直徑5.5-5.9厘米。
扁體略呈橢圓形，正面中央鑲嵌一圓形綠松石，外圈透雕龍、鳳、熊以及雲紋，並用淺浮雕手法，刻出各種動物的眼、耳、鼻、嘴等。背面中央有一短圓柱，中有一小圓穿孔。
現藏湖南省博物館。

[玉器]

銅框鑲玉巵
西漢
廣東廣州市象崗山南越王墓出土。
高14厘米。
以銅框為架，鑲嵌九塊玉片組成。玉片飾勾邊穀紋。
現藏廣東省廣州南越王墓博物館。

[玉 器]

穀紋卮
西漢
江蘇徐州市獅子山楚王陵出土。
高9.9厘米。
蓋鈕爲五瓣柿蒂形。器身呈筒形，下有三獸形足。器身飾穀紋。
現藏江蘇省徐州博物館。

龍鳳穀紋卮
西漢
湖南安鄉縣黃山鎮劉弘墓出土。
高12.9、口徑7.6、底徑7.8厘米。
器身略呈長筒形，外壁滿飾淺浮雕花紋，口沿以下爲捲雲紋帶，腹部以穀紋爲地，主紋爲兩龍兩鳳。捲雲形三矮蹄足。
現藏湖南省安鄉縣文物管理所。

[玉器]

秦至東漢（公元前二二一年至公元二二〇年）

朱雀銜環踏虎卮
西漢
安徽巢湖市北山頭漢墓出土。
高13.1、口徑8、底徑7.5厘米。
筒形器身，平首，三隻獸首形足。器身正面為鏤空朱雀口銜活環，腳踏一虎，雙翼附于器身之上，背面為鏤空環形柄，柄上雕一龍。器壁紋飾分五層，捲雲紋三層，雲豆紋兩層。
現藏安徽省巢湖市博物館。

朱雀銜環踏虎卮正面

441

[玉 器]

銅承盤高足杯
西漢
廣東廣州市象崗山南越王墓出土。
通高17、玉杯高11.7、口徑4.1厘米。
由銅承盤、托架和高足玉杯組成。杯外壁飾三周紋飾，上圈爲雲紋和花瓣紋，中圈爲穀紋，下圈爲仰覆花瓣紋。
現藏廣東省廣州南越王墓博物館。

[玉器]

秦至東漢（公元前二二一年至公元二二○年）

銅框鑲玉蓋杯
西漢
廣東廣州市象崗山南越王墓出土。
通高16、杯高14、口徑7.2厘米。
以銅框為架，鑲嵌玉片組成。
現藏廣東省廣州南越王墓博物館。

雲紋杯
西漢
江蘇徐州市獅子山楚王陵出土。
高11.6厘米。
圓筒形，平口，弧腹，矮圓足。杯壁飾勾連雲紋。
現藏南京博物院。

443

[玉 器]

秦至東漢（公元前二二一年至公元二二〇年）

穀紋杯
西漢
廣西貴縣羅泊灣1號墓出土。
高11.3、口徑4.5、足徑3.3厘米。
杯外壁飾紋四組，自上而下分別是方折雲紋、
穀紋、方折雲紋及捲雲紋。
現藏廣西壯族自治區博物館。

錯金銅座杯
西漢
安徽渦陽縣稽山出土。
通高8.2、杯體高4、口徑4.9厘米。
羊脂玉，杯座銅質，鎏金。腹部飾簡化蟠螭紋，
圈足外壁飾弦紋和捲雲紋。
現藏安徽省阜陽博物館。

[玉 器]

秦至東漢（公元前二二一年至公元二二〇年）

耳杯
西漢
江蘇徐州市獅子山楚王陵出土。
長14.3、寬11、高3.9厘米。
爲青玉材質。形狀近似橢圓形，兩側有雙耳。
現藏江蘇省徐州博物館。

耳杯
西漢
吉林集安市糧庫高句麗墓葬出土。
長13、寬9.5、高3.2厘米。
羊脂玉精雕而成。橢圓形，兩側有雙耳。
現藏吉林省博物院。

445

[玉 器]

秦至東漢（公元前二二一年至公元二二〇年）

角形杯
西漢
廣東廣州市象崗山南越王墓出土。
高18.4、口徑5.8-6.7厘米。
仿犀角形，外壁滿飾捲雲紋，口緣下雕一夔龍。
現藏廣東省廣州南越王墓博物館。

【 玉 器 】

秦至東漢（公元前二二一年至公元二二○年）

蒂葉紋盒蓋面

蒂葉紋盒
西漢
安徽巢湖市北山頭漢墓出土。
高4.2、直徑11.1厘米。
蓋中心飾蒂葉紋，外圈飾勾雲紋，外緣飾雲紋。
盒底與盒蓋紋飾相同。蓋側及盒身飾勾雲紋。
現藏安徽省巢湖市博物館。

雙鳳紋盒
西漢
廣東廣州市象崗山南越王墓出土。
高7.7、口徑9.8厘米。
蓋頂飾一橋形鈕，內扣一絢紋活環。蓋面及蓋身分別飾花瓣紋、勾連渦紋、勾連雷紋和絢紋等。蓋內壁刻雙鳳紋。
現藏廣東省廣州南越王墓博物館。

447

[玉 器]

銅座玉蓋香熏
西漢
安徽巢湖市北山頭漢墓出土。
高8、口徑10.2厘米。
身爲銅質，腹壁鑲嵌八個圓形玉飾，四個上飾雲紋，四個上飾虎頭紋，腹底嵌六片瓜子形玉飾。蓋爲玉質，鏤孔雕飾雲紋，上鑲一道銅箍，用樞軸與器身扣合。
現藏安徽省巢湖市博物館。

銅座玉蓋香熏蓋面

"皇后之璽"印面

"皇后之璽"印
西漢
陝西咸陽市韓家灣鄉狼家溝村出土。
高2、寬2.8厘米。
上雕螭虎鈕,四側陰刻勾連雲紋,印文爲陰刻篆書"皇后之璽"四字。
現藏陝西歷史博物館。

雙虎紋劍首
西漢
廣東廣州市象崗山南越王墓出土。
直徑4.6厘米。
內環雕五葉花瓣,花蕊圓凸。外周雕二隻奔馳的螭虎。
現藏廣東省廣州南越王墓博物館。

[玉 器]

雙螭獸紋劍首
西漢
廣東廣州市象崗山南越王墓出土。
直徑5厘米。
正面有高浮雕雙螭及一尖嘴獸。
現藏廣東省廣州南越王墓博物館。

雲紋劍首
西漢
廣東廣州市象崗山南越王墓出土。
面徑5.6、底徑5.5厘米。
內圈飾雲渦紋,外圈飾穀紋。
現藏廣東省廣州市越王墓博物館。

【 玉 器 】

雙鳳獸首紋劍格
西漢
廣東廣州市象崗山南越王墓出土。
長6.2厘米。
以中脊爲軸,中部飾獸首紋,兩側透雕雙鳳鳥紋。
現藏廣東省廣州南越王墓博物館。

蟠螭紋劍格
西漢
河南永城市芒山鎮僖山漢墓出土。
長5.7、寬1.9厘米。
正面浮雕一蟠螭,背面綫刻變形獸面紋和雲紋,中部有一長圓孔可供穿插。
現藏河南博物院。

[玉 器]

獸首紋劍格
西漢
廣東廣州市象崗山南越王墓出土。
長6.9厘米。
兩面飾獸首紋,獸首的眼眶、眼珠、鬍鬚等用陽綫表達,與一般獸面的陰綫刻劃有別。
現藏廣東省廣州南越王墓博物館。

螭龍紋劍璏
西漢
江蘇儀徵市龍河烟袋山出土。
長5.4、寬3.1厘米。
面上浮雕螭龍。螭龍綫條流暢,呈"S"形。
現藏江蘇省儀徵市博物館。

[玉器]

螭虎紋璲
西漢
山東巨野縣紅土山墓葬出土。
長8.8、寬2.9厘米。
浮雕一大一小兩隻的螭虎。小虎尾殘。
現藏山東巨野縣文物管理所。

夔龙纹璲
西漢
安徽巢湖市放王崗漢墓出土。
長7.8、寬2.3、高1.6厘米。
淺浮雕一夔龍。
現藏安徽省巢湖市博物館。

秦至東漢（公元前二二一年至公元二二〇年）

453

[玉 器]

虎紋劍珌
西漢
河北滿城縣中山靖王劉勝墓出土。
長5.9、寬5.4–6.8厘米。
剖面作橄欖形，上端有一垂直的穿而不透的圓孔，下端飾流雲紋。兩側飾虎紋。
現藏河北省文物研究所。

雲紋劍珌（右图）
西漢
河南永城市芒山鎮僖山漢墓出土。
長6.6、寬4.4厘米。
側面飾勾雲紋，兩邊裝飾有透雕的捲雲紋。
現藏河南博物院。

[玉 器]

秦至東漢（公元前二二一年至公元二二〇年）

螭虎紋劍珌
西漢
湖南長沙市蓉園13號墓出土。
長5.9、寬6厘米。
螭虎身躍出珌外，富于變化。
現藏湖南省博物館。

螭虎紋劍珌
西漢
山東巨野縣紅土山墓葬出土。
長6.3、寬4.6厘米。
通體以浮雕和鏤雕手法飾五條形態各異的螭虎，輔以流雲。
現藏山東巨野縣文物管理所。

455

[玉 器]

螭虎紋劍珌
西漢
廣東廣州市象崗山南越王墓出土。
高4.6、寬6.6厘米。
正面浮雕一隻穿行于雲間的螭虎。
現藏廣東省廣州南越王墓博物館。

熊虎紋劍珌
西漢
廣東廣州市象崗山南越王墓出土。
高4、寬7.5厘米。
用浮雕技法雕飾出虎與熊相戲的圖案。
現藏廣東省廣州南越王墓博物館。

熊虎獸面紋劍珌
西漢
河南永城市芒山鎮僖山漢墓出土。
高7.7、上寬5.1、下寬6.5厘米。
呈梯形,透雕。上部為獸面紋,中部為一蟠螭,下部有一小熊咬螭尾,周邊飾有捲雲紋。
現藏河南博物院。

雲紋劍珌
西漢
廣東廣州市象崗山南越王墓出土。
高6.2、上寬6.5、下寬5.6厘米。
正視呈長束腰梯形。兩面的主體紋飾相同,都是減地隱起方折勾連雲紋,僅細部陰刻的補白略有差別。
現藏廣東省廣州南越王墓博物館。

[玉器]

獸首雲紋劍珌
西漢
廣東廣州市象崗山南越王墓出土。
高7.3、上寬6.2、下寬4.8厘米。
形體較長，兩面紋飾相同，中有軸綫，對稱用減地隱起和陰、陽綫結合，琢刻獸首紋和勾連雲紋。頂面陰刻草葉紋。底部有三個鑽孔。
現藏廣東省廣州南越王墓博物館。

螭虎鳳鳥紋劍珌
西漢
江蘇徐州市北洞山楚王墓出土。
長6、寬4.6-5.9厘米。
通體透雕盤繞虯曲、姿態各异的五隻螭虎和一隻鳳鳥。
現藏江蘇省徐州博物館。

螭虎鳳鳥紋劍珌側視圖

[玉 器]

雙聯管（左圖）
西漢
江蘇徐州市獅子山楚王陵出土。
長26.2、寬2.9厘米。
玉管爲兩根同樣的細長圓管并聯而成，兩端連接處各以淺浮雕技法雕出一獸面紋。
現藏江蘇省徐州博物館。

龍紋杖頭
西漢
廣西貴縣羅泊灣2號墓出土。
長10、寬1.5厘米。
剖面作橢圓形。龍張口露齒，眼圓睜，身飾鱗紋及絞絲紋。
現藏廣西壯族自治區博物館。

[玉 器]

獸首銜璧飾
西漢
廣東廣州市象崗山南越王墓出土。
通長16.7、寬13.8、璧徑8.8、孔徑3.4厘米。
整玉雕成，鋪首右側另雕一虎，具有越系玉器的不對稱特點。
現藏廣東省廣州南越王墓博物館。

四神紋鋪首
西漢
陝西興平市道常村茂陵附近出土。
寬35.6厘米。
採用淺浮雕和鏤空技法雕出青龍、白虎、朱雀和玄武四神。
現藏陝西省茂陵博物館。

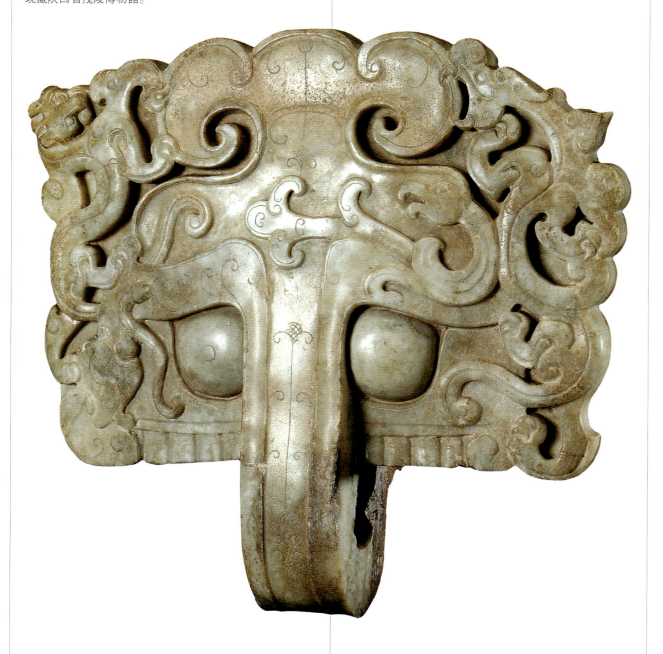

[玉 器]

鑲玉銅鋪首
西漢
河北滿城縣中山靖王劉勝墓出土。
通長12.4、鋪首寬9.4厘米。
鋪首的獸面以銅爲框，鑲嵌白玉。
玉獸面由對稱的捲雲紋組成。
現藏河北省博物館。

【 玉 器 】

秦至東漢（公元前二二一年至公元二二〇年）

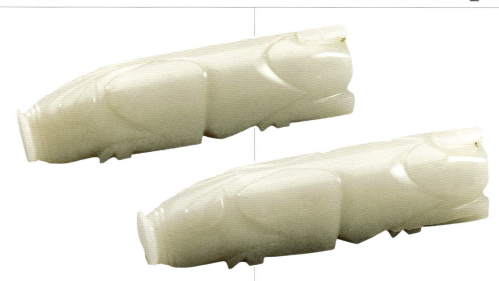

豬形握
新
江蘇揚州市邗江區楊壽鎮李崗村寶女墩出土。
長11.4、寬2.6、高2.8厘米。
二件。豬呈臥姿。
現藏江蘇省揚州市邗江區文物管理委員會。

穀紋璧
東漢
河北定州市中山簡王劉焉墓出土。
直徑18.5厘米。
溫潤有光澤。璧面飾整齊的穀紋。
現藏河北省文物研究所。

463

[玉器]

雙螭穀紋璧

東漢
河北定州市中山簡王劉焉墓出土。
高25.5、璧直徑19.9厘米。
琢製。璧上部鏤空雙螭，作曲身舞爪相鬥狀。璧面飾穀紋。
現藏河北省文物研究所。

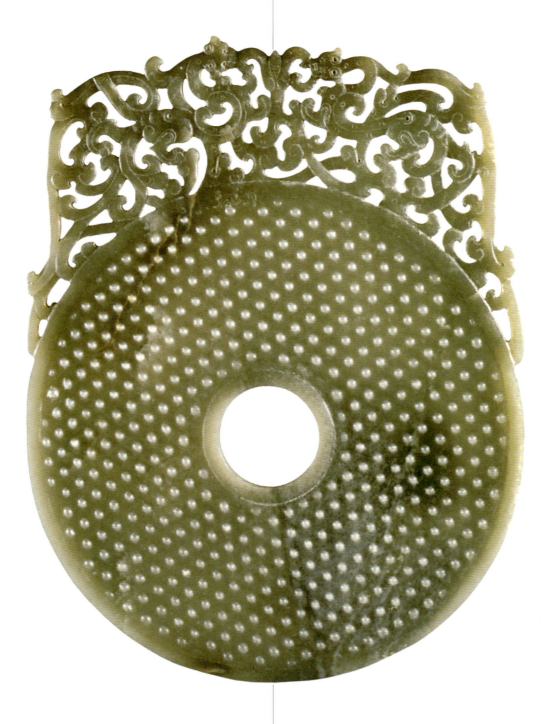

[玉器]

秦至東漢（公元前二二一年至公元二二〇年）

龍鈕穀紋璧
東漢
河北定州市北陵頭村出土。
高30厘米。
璧鈕爲透雕雙龍紋，璧面飾穀紋。
現藏河北省定州市博物館。

"宜子孫"龍鳳紋璧（右圖）
東漢
江蘇揚州市邗江區甘泉鎮老虎墩漢墓出土。
高9、璧直徑7厘米。
璧身鏤雕雙龍紋，璧繋鏤雕鳳紋，并有"宜子孫"三字。兩面紋飾大致一樣。
現藏江蘇省揚州博物館。

465

[玉 器]

"宜子孫"穀紋璧

東漢
山東青州市馬家冢村出土。
高30、璧直徑20.7厘米。
鈕下有"宜子孫"三字,兩旁雙龍扶持。
現藏山東省青州博物館。

[玉 器]

秦至東漢（公元前二二一年至公元二二〇年）

鱗紋龍形佩
東漢
安徽潛山縣彭嶺漢墓群出土。
長2.7、寬2.2厘米。
龍首細長張，口銜尾，身蜷屈呈橢圓形，陰刻口、鼻、眼和耳。龍身渾圓，綫刻鱗甲和鱗片。
現藏安徽省文物考古研究所。

雲紋龍形佩
東漢
河南洛陽市機車廠東漢墓出土。
長7、寬5.7厘米。
橢圓形，中心有橢圓穿，穿外為雲紋，雲紋外為透雕相互纏繞的雙龍。
現藏河南省洛陽博物館。

467

[玉器]

四龍韘形佩
東漢
河南洛陽市機車廠東漢墓出土。
長8、寬6厘米。
四周透雕四條龍環繞，有圓形穿，穿璧飾龜甲紋，龍身飾綫刻雲紋。
現藏河南省洛陽博物館。

雙獸雲紋佩
東漢
河北定州市中山穆王劉暢墓出土。
長15.7、寬6.8厘米。
兩端透雕獨角獸和流雲紋，其中一端略殘。
現藏河北省定州市博物館。

[玉 器]

螭虎紋韘形佩
東漢
陝西華陰縣油巷新村大司徒劉崎墓出土。
長10.2、寬6.3厘米。
玉佩呈橢圓形，正面微鼓，中心部位爲一橢圓形孔。孔邊緣鏤雕出三隻螭虎，螭虎頭上雕出長獨角，四肢彎曲，均呈正背連體的穿雲奔騰狀。
現藏陝西省華陰縣西岳廟文物管理處。

螭虎紋韘形佩背面

[玉 器]

秦至東漢（公元前二二一年至公元二二〇年）

盤龍心形佩（上圖）
東漢
安徽懷遠縣唐集漢墓出土。
長7、寬4.2厘米。
器呈橢圓球形，透雕三條螭龍繞中間空心圓嬉戲盤游，細陰綫淺雕螭首，首尾肢爪勾連纏繞，翹首捲尾，饒有情趣。
現藏安徽省懷遠縣文物管理所。

蟠龍環
東漢
江蘇揚州市邗江區甘泉鎮老虎墩漢墓出土。
直徑10厘米。
環的造型由頭外尾內的蟠龍構成，輔以流雲和一條小龍，構圖新穎，紋飾流暢。
現藏江蘇省揚州博物館。

【 玉 器 】

秦至東漢（公元前二二一年至公元二二○年）

伏人環
東漢
河南洛陽市澗西158廠漢墓出土。
直徑9.7厘米。
環內圓外方，四角各雕一爬伏人。
現藏河南省洛陽博物館。

連體雙龍珩
東漢
河北定州市出土。
長10.5、寬2.7厘米。
晶瑩潤澤，透雕左右對稱的二龍相戲紋。
現藏河北省定州市博物館。

471

[玉 器]

龍首帶鈎
東漢
河南洛陽市瀍河回族區漢墓出土。
長11.5、寬2厘米。
鈎端爲龍首，頸部突起三道弦紋。
現藏河南省洛陽市文物工作隊。

龍虎合體帶鈎
東漢
河北定州市中山簡王劉焉墓出土。
長21.8厘米。
鈎頭爲龍首，鈎尾爲虎首，器身飾勾連雲紋。
現藏河北省博物館。

【 玉 器 】

秦至東漢（公元前二二一年至公元二二〇年）

雙龍紋帶扣
東漢
河南洛陽瀍河回族區漢墓出土。
長8.5、寬4.2-5.6厘米。
呈梯形、上端圓弧，有一月牙形穿，
月牙形穿下浮雕雙龍。
現藏河南省洛陽博物館。

猪形握
東漢
陝西西安市蓮湖區紅廟坡漢墓出土。
長11.8、寬2.6、高3厘米。
猪呈伏臥狀，眼、耳、四肢及各部位輪廓均以爽利的偏刀法勾勒，腹下、嘴及尾部則隨形雕琢成平面。
現藏陝西省西安市文物保護考古所。

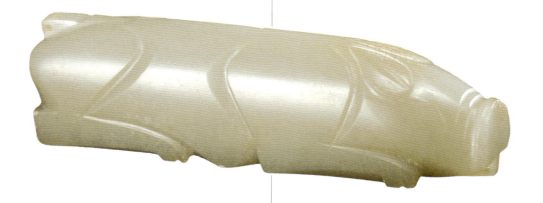

473

【 玉 器 】

蟬
東漢
河南洛陽市出土。
長4.5、寬3.2厘米。
臥伏狀，頭身之間有一凸棱，翼貼身，陰綫刻首。
現藏河南省洛陽博物館。

蟬
東漢
河北定州市中山簡王劉焉墓出土。
長6.4、寬3.3厘米。
通體潔白晶瑩，以直綫或弧綫勾勒出蟬的細部。
現藏河北省博物館。

雲紋枕
東漢
河北定州市中山簡王劉焉墓出土。
長34.7、寬11.8、高13厘米。
剖面呈長方形，枕面兩端略弧起，中間下凹。除底部及兩側光素無紋外，其餘部分均以陰刻綫飾勾連雲紋。
現藏河北省博物館。

翁仲飾
東漢
江蘇揚州市邗江區甘泉鎮東漢2號墓出土。
高4.1厘米。
中年男性形象。臉形較長，神情嚴肅。頭戴高冠，寬帶博衣，衣領右衽，長裙曳地。腰際橫對穿一孔，以繫挂。
現藏南京博物院。

舞人飾
東漢
河北獻縣上寺漢墓出土。
高4.3厘米。
兩面陰刻。舞人長袖起舞。
現藏河北省文物研究所。

[玉 器]

辟邪
東漢
陝西寶雞市出土。
長18、寬6.7、高18.5厘米。
辟邪昂首張口，作吼嘯狀。肩有雙翼，
背部和頭部有插座。
現藏陝西省寶雞市青銅器博物館。

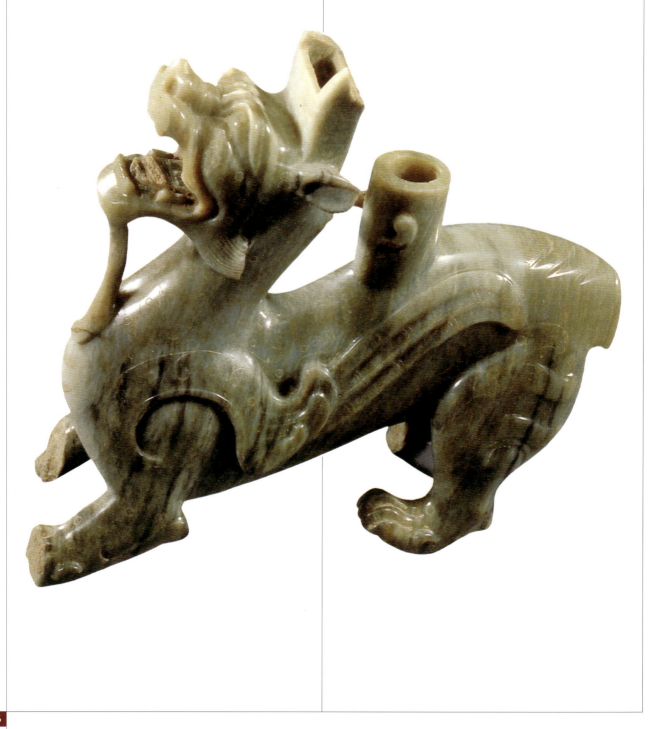

【玉器】

秦至東漢（公元前二二一年至公元二二〇年）

水晶獸
東漢
山東臨沂市盛莊鎮李白莊出土。
長4、高2.3厘米。
水晶質。獸呈伏臥狀。
現藏山東省臨沂市博物館。

鋪首形飾
東漢
安徽長豐縣楊公廟漢墓群出土。
長7.2、高6.2厘米。
鋪首形，采用起凸、陰綫刻等工藝，平雕出獸首形及眼、鼻、耳、鬚等。背面平素。
現藏安徽省文物考古研究所。

[玉 器]

神獸紋尊
東漢
湖南安鄉縣黃山鎮劉弘墓出土。
高10.5厘米。
直筒形，器身兩側飾鋪首銜環作器耳，器身浮雕螭虎、龍、熊及乘雲仙人，平底下置三熊足。
現藏湖南省安鄉縣文物管理所。

[玉 器]

飛熊水滴
東漢
江蘇揚州市邗江區甘泉鎮老虎墩漢墓出土。
高7.7、寬6厘米。
熊張口捲舌，背有雙翼，右前掌托三枝靈芝仙草，左前掌下垂，底部雕有捲曲的長尾。
現藏江蘇省揚州博物館。

獸首勺
東漢
河南洛陽市采集。
長8、高5.5厘米。
把頭為獸首，并很好地利用了玉質的顏色。
現藏河南省洛陽市文物工作隊。

秦至東漢（公元前二二一年至公元二二〇年）

[玉 器]

座屏

東漢

河北定州市出土。

高16.5、長15.3厘米。

玉座屏由四塊透雕玉片拼成，兩側支架略呈長方形，上刻螭虎紋雙聯璧。現藏河北省定州市博物館。

[玉 器]

秦至東漢（公元前二二一年至公元二二〇年）

獸面雲紋劍格
東漢
安徽馬鞍山市寺門口漢墓出土。
長5.6、寬2厘米。
略似長方形狀，中有長方穿孔。表面中部凸起脊，菱形斷面。以脊綫爲中心，兩側淺浮雕對稱的勾雲紋，共同組成獸面，間飾節紋和細網格紋。
現藏安徽省馬鞍山市博物館。

獸面雲紋劍璲
東漢
安徽馬鞍山市寺門口漢墓出土。
長10.7、寬2.5、高1.7厘米。
長方形，器面一端飾獸面，身淺浮雕勾連雲紋，左右對稱，雲紋之間輔飾節紋和網格紋等。
現藏安徽省馬鞍山市博物館。

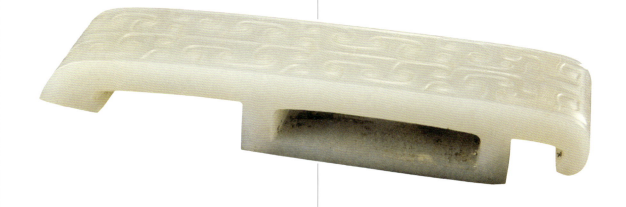

481

[玉器]

螭虎紋劍璲
東漢
江西南昌縣出土。
長9.8、寬2.4、高2.3厘米。
長方形。一端下垂內捲，另一端伸長，斜削下垂。長方形銎偏向一側。璲面浮雕一大一小兩隻螭虎，曲身捲尾，側首相望，作相戲狀。
現藏江西省博物館。

琥珀獸
東漢
雲南昆明市羊甫頭墓地出土。
長4、寬2、高2.6厘米。
琥珀質。獸作伏臥狀，雕刻簡練，有穿孔佩繫。
現藏雲南省文物考古研究所。

【 玉 器 】

蟬（右圖）

漢

陝西西安市徵集。

長5.2、寬2.7厘米。

蟬體呈長橢圓形，尖頭，尖尾。兩目間飾齒紋，背後爲直凸棱，兩側斜平爲雙翼，其上陰刻綫勾勒"S"形連雲紋。

現藏陝西省西安市文物保護考古所。

夔龍穀紋璧

漢

陝西西安市雁塔區沙坡漢墓出土。

直徑18.8厘米。

呈扁圓形，璧面中部以一周絢紋將紋飾分爲內外兩區。內區飾以穀紋，外區飾以四組夔龍紋。

現藏陝西省西安市文物保護考古所。

秦至東漢（公元前二二一年至公元二二〇年）

【 玉 器 】

秦至東漢（公元前二二一年至公元二二〇年）

螭龍紋劍首
漢
陝西西安市未央區紅旗機械廠出土。
長8.3、高6厘米。
劍首的底面平，有兩圓孔爲固定劍柄首用，正面及兩側面雕立體雲中螭龍。
現藏陝西省西安市文物保護考古所。

子母螭龍紋劍璲
漢
陝西西安市草灘鄉張千戶村出土。
長10.2、寬2.5、高2厘米。
正面高浮雕一對子母螭，二者側首相望，作嬉戲狀。
現藏陝西省西安市文物保護考古所。

【 玉 器 】

獸面雲紋劍璏
漢
陝西西安市霸橋區出土。
長7.9、寬2.1厘米。
俯視爲矩形,前後兩端內捲。正面紋飾采用壓地隱起法雕琢。一端雕琢獸面,另一端陰刻折曲幾何紋,矩形面以勾雲紋爲主題紋樣。
現藏陝西省西安市文物保護考古所。

螭龍紋劍珌
漢
陝西西安市未央區紅旗機械廠出土。
高5.6、上寬5.2、下寬7.3厘米。
珌略呈梯形。兩面浮雕螭紋。一面淺浮雕一雲中螭龍,另一面浮雕一大一小兩條螭龍。
現藏陝西省西安市文物保護考古所。

[玉 器]

杯
三國·魏
河南洛陽市出土。
高13、口徑5厘米。
通身光素無紋。筒形，直口，圈足。
現藏河南省洛陽博物館。

螭虎紋韘形佩
魏晉
長7.6、寬5.1厘米。
佩呈韘形，中有一孔，四周透雕四隻螭虎。
現藏故宮博物院。

【 玉 器 】

三國至五代十國（公元二二〇年至公元九六〇年）

羊
魏晉
甘肅武威市靈均臺遺址出土。
長15厘米。
圓雕，通體打磨精細，形象逼真。
現藏甘肅省博物館。

走獸游魚珩
魏晉
陝西乾縣永泰公主墓出土。
長11、高6厘米。
上部鏤雕一走獸，張口翹鼻，四肢粗壯，尾部回捲，腳下踩一條狀玉，下連一游魚。兩面圖案一樣。
現藏陝西歷史博物館。

[玉 器]

三國至五代十國（公元二二〇年至公元九六〇年）

瑪瑙璧
西晉
河南偃師市山化鄉玉瑙村出土。
直徑10厘米。
瑪瑙質。雕勾連盤龍紋，通體拋光。
現藏河南省洛陽博物館。

獸面雲紋劍璏
西晉
江蘇南京市石閘湖墓出土。
長10.5、寬2.1、高1.5厘米。
晶瑩光潔。矩形，兩端下捲，下部有長方形穿。一端以陽文淺浮雕技法琢出獸面紋。
邊飾弦紋，矩形面飾勾雲紋。
現藏江蘇省南京市博物館。

[玉器]

三國至五代十國（公元二二〇年至公元九六〇年）

龍紋韘形佩
東晉
江蘇南京市仙鶴觀2號墓出土。
長8.5、寬8厘米。
橢圓形，兩面透雕螭龍，并附以雲氣等紋飾，正面圓孔周圍有綫刻弦紋。
現藏江蘇省南京市博物館。

雲紋韘形佩
東晉
江蘇南京市仙鶴觀2號墓出土。
長9.6、寬8.7厘米。
橢圓形，中有圓孔。兩側各透雕勾雲紋，細部綫刻雲紋。兩面紋飾基本相同。
現藏江蘇省南京市博物館。

489

[玉器]

雲紋心形佩
東晉
江蘇南京市仙鶴觀6號墓出土。
長8.9、寬8厘米。
兩側透雕捲雲紋。兩面圖案基本一致。
現藏江蘇省南京市博物館。

螭虎紋雞心佩
東晉
江蘇南京市中央門外郭家山墓葬出土。
長7.1、寬4.6厘米。
橢圓形，中有穿孔，外雕一大兩小三隻螭虎。
現藏南京博物院。

[玉器]

三國至五代十國（公元二二〇年至公元九六〇年）

神獸紋佩
東晉

安徽當塗縣青山墓地23號墓出土。
高4.2、上寬9.8、下寬11.4厘米。
正面陰刻玄武，背面陰刻火焰紋。上邊緣中間一小孔。
現藏安徽省文物考古研究所。

神獸紋佩背面

491

【 玉 器 】

神獸紋璜
東晉
安徽當塗縣青山墓地23號墓出土。
長7.2、寬2.2厘米。
正面陰刻青龍,背面陰刻花枝紋。兩側有三個穿孔。
現藏安徽省文物考古研究所。

神獸紋璜背面

【 玉 器 】

三國至五代十國（公元二二〇年至公元九六〇年）

龍猴紋珩
東晉
江蘇南京市仙鶴觀6號墓出土。
長9.6、寬2.9厘米。
透雕螭龍及短尾猴各一隻，餘飾變形雲紋。
現藏江蘇省南京市博物館。

龍首帶鈎
東晉
江蘇南京市仙鶴觀6號墓出土。
長9.5、寬1.8、高2.3厘米。
鈎體舒展，鈎腹隆起，鈎首爲一回首的螭龍，鈎腹前端高浮雕小螭龍，作游動狀。鈎兩側細綫刻變形雲紋。下出蘑菇狀鈕。
現藏江蘇省南京市博物館。

493

[玉 器]

鳳形帶鉤
東晉
安徽當塗縣青山墓地23號墓出土。
長7.1、寬1.47厘米。
鳳首，長雙角，頸部和身部飾羽毛，雙翅。雕刻精細。
現藏安徽省文物考古研究所。

鳳形帶鉤鈕面

[玉 器]

三國至五代十國（公元二二〇年至公元九六〇年）

猪形握
東晉
江蘇南京市中央門外郭家山墓葬出土。
長11、寬2.5厘米。
猪呈卧姿。
現藏南京博物院。

猪形握
東晉
江蘇南京市仙鶴觀6號墓出土。
長10.4、寬2.6、高2.9厘米。
器身圓渾較長，用簡單的綫條刻出五官、四肢及背部鬃毛，尾椎上有對穿牛鼻孔。
現藏江蘇省南京市博物館。

[玉 器]

三國至五代十國（公元二二〇年至公元九六〇年）

猪形握
東晉
江蘇南京市西善橋墓出土。
長11、寬2.4、高2.7厘米。
器身渾圓較長，嘴部圓形上翹，
尾巴刻成反"6"字形。
現藏江蘇省南京市博物館。

龍紋帶頭
東晉
長9.5、寬6.5厘米。
正面爲一透雕玉龍，龍身飾鱗紋。
背面刻有銘文二行。
現藏上海博物館。

【 玉 器 】

三國至五代十國（公元二二〇年至公元九六〇年）

琥珀獸
東晉
安徽當塗縣青山六朝墓出土。
長3.2、高2.4厘米。
琥珀質。圓雕，獸首呈張望狀，身體渾圓，四肢短小，下腹有一穿孔。
現藏安徽省文物考古研究所。

獸面雲紋劍首
東晉
江蘇南京市仙鶴觀6號墓出土。
長3.3、寬2、高2厘米。
略呈菱形，頂部平整，底部有一橢圓形凹槽，用於固定劍首。前後兩面淺浮雕獸面紋及變形雲紋。
現藏江蘇省南京市博物館。

497

[玉 器]

獸面雲紋劍格
東晉
江蘇南京市仙鶴觀6號墓出土。
長6、寬2、高2厘米。
菱形，中間有橢圓形孔，一端中間有凹槽，另一端邊緣綫向中間傾斜。上飾獸面紋，輔以變形雲紋。
現藏江蘇省南京市博物館。

螭虎紋劍璏
東晉
江蘇南京市仙鶴觀6號墓出土。
長9.6、寬2.3、高2.3厘米。
矩形，兩端向下彎曲，背部有矩形穿，正面高浮雕大小兩螭虎。
現藏江蘇省南京市博物館。

螭虎紋劍璏背面

【 玉 器 】

三國至五代十國（公元二二〇年至公元九六〇年）

飾金瑪瑙球側面

飾金瑪瑙球
東晉
安徽當塗縣青山六朝墓出土。
高2.7、直徑2.3厘米。
瑪瑙紋理清晰。球形，中間貫穿一孔，頂與底部各飾一花瓣形金飾片，上端有一環形鈕。通體拋光亮麗。
現藏安徽省文物考古研究所。

龍鳳形佩
南朝
江蘇南京市鄧府山3號墓出土。
高5.8厘米。
通體透雕成龍鳳紋。龍背上站立一鳳，作回首狀。
現藏南京博物院。

499

[玉 器]

三國至五代十國（公元二二〇年至公元九六〇年）

環

南朝

江蘇南京市蔡家塘墓出土。
直徑5.4厘米。
圓形，素面無紋飾。
現藏江蘇省南京市博物館。

獸首

南朝

江蘇南京市光華門外石門坎六朝墓出土。
長4.7、寬1.3厘米。
圓雕，似馬首形，有獠牙，尖耳，無角，頸部簡化。
現藏南京博物院。

[玉 器]

三國至五代十國（公元二二〇年至公元九六〇年）

辟邪
北朝
河南洛陽市出土。
長7.8、高4.3厘米。
蹲臥狀，頭平伸，張口，尾下垂，前爪伸，後腿屈蹲，體形渾厚圓潤。
現藏河南省洛陽博物館。

鳳紋蝙蝠形珩
北齊
山西壽陽縣賈家莊厙狄迴洛墓出土。
長9.7、寬4.3厘米。
扁平體，蝙蝠形，上端有一孔，下邊沿有孔三個。
正面綫刻一隻展翅欲飛的鳳鳥，空間以雲紋點綴。
背面綫刻火焰狀雲紋。
現藏山西省考古研究所。

501

[玉 器]

三國至五代十國（公元二二〇年至公元九六〇年）

獅紋瑪瑙飾
北齊
山西壽陽縣賈家莊厙狄迴洛墓出土。
長2.7、寬2厘米。
中間帶一圈天然的白色紋理，正面利用橢圓形白色紋理爲邊框，中間陰刻一昂首翹尾之獅。
現藏山西省考古研究所。

蝙蝠形珩
北周
陝西西安市雁塔區小寨村出土。
長12.8、寬6.3厘米。
兩面素面無紋。器呈蝙蝠形，頭、尾及兩翼各有一穿孔。
現藏陝西西安市文物保護考古所。

[玉 器]

八環蹀躞帶

北周
陝西咸陽市底張灣北周若干雲墓出土。
通長150厘米。
由鞓、銙、偏心孔環、鉈尾和帶扣組成。
現藏陝西省考古研究院。

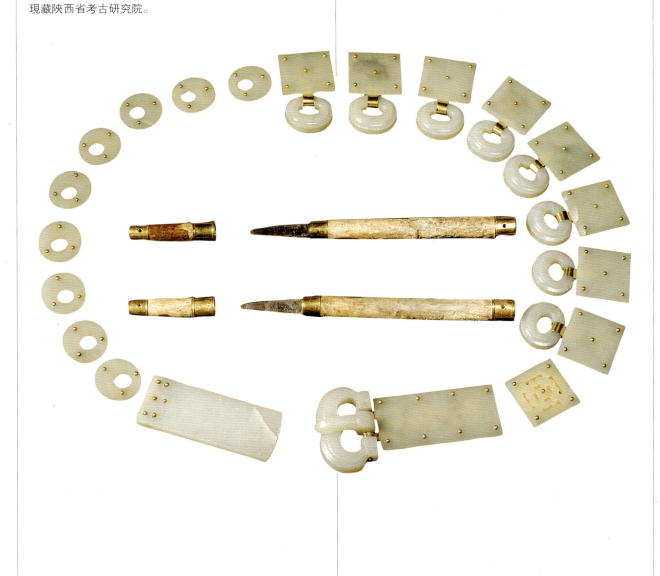